W9-CTD-162

Gérard Vigner

FAÇONS
de PARLER

Faculty Club —
corner of 8th &
San Salvador Sts
7:30

Hachette

Présentation

La maîtrise d'une langue ne se mesure pas seulement à l'exacte connaissance des règles de grammaire qui régissent son fonctionnement, ni même à l'étendue du vocabulaire possédé.

En effet, lorsqu'on est en contact avec un usage authentique de la langue, on se rend très vite compte que certaines expressions rencontrées, à l'oral comme à l'écrit, ne peuvent être interprétées par les seules ressources du lexique et de la syntaxe. On peut ainsi rencontrer une personne qui avouera « tirer le diable par la queue ». Que l'on ne voie dans cet acte nulle audace. Cela signifie simplement que cette personne connaît quelques difficultés d'argent.

Ces locutions ou ces « façons de parler », qui ont pour effet de donner plus d'expressivité, plus de couleur aux propos que l'on échange, se caractérisent par le fait que pour exprimer une idée, un sentiment, pour décrire une situation, on se sert la plupart du temps d'images empruntées à différents domaines de la vie; le choix de ces images, pour une même situation, varie avec les langues et les cultures. Si en anglais, selon l'exemple bien connu « il pleut des chiens et des chats », en français par contre : « il tombera des cordes ou des hallebardes »; qu'un Italien vienne à avoir froid, « il aura la peau d'oie » alors qu'un Français « aura la chair de poule ». Il ne saurait donc être question de transposer ces images telles quelles d'une langue dans une autre. Cela ferait sourire, cela pourrait plonger dans une intense perplexité l'auditeur francophone qui vous lit ou vous écoute. D'autre part, bien de ces locutions, nées il y a fort longtemps dans un contexte particulier, ont progressivement perdu tout lien sémantique évident avec ce qu'elles évoquaient initialement. Un très grand nombre d'entre elles ne peuvent donc être comprises littéralement. Ainsi rien ne signale, a priori, qu'une locution telle que : « donner sa langue au chat » signifie : « renoncer à deviner, à chercher, pour demander immédiatement la réponse ».

Aussi importe-t-il de bien connaître ces locutions, afin d'abord de pouvoir les comprendre, éventuellement, dans un second temps, de pouvoir les utiliser, en prenant soin cependant d'être très attentif dans leur usage.

Le propos de cet ouvrage sera donc de présenter sous la forme la plus économique les locutions les plus couramment utilisées, celles qu'il est nécessaire de connaître si l'on veut pouvoir se faire comprendre avec le plus de naturel et de facilité possible.

I.S.B.N. 2.01.007808.X

© Hachette, 1981 - 79, boulevard Saint-Germain - F 75006 PARIS.

Ces locutions, pour la commodité de la présentation, ont été regroupées par ensembles thématiques. Toutefois, un index alphabétique placé à la fin de l'ouvrage permettra de retrouver immédiatement la page où l'expression est présentée et expliquée. Au bas de chaque ensemble thématique figurent différents extraits (presse, poésie, publicité...) où ces locutions apparaissent dans leur emploi le plus courant. Des exercices viennent compléter ces ensembles et permettront d'assurer un contrôle éventuel des acquisitions.

Dans la mesure où toutes ces expressions font partie de la substance même de la langue française dans ce qu'elle a d'original, de particulier, il est naturel et les retrouver utilisées sous de multiples formes, dans le langage publicitaire, poétique, dans les morceaux d'humour. On pourra ainsi apprendre à jouer sur les mots, à apprécier les jeux de mots, à découvrir de nouveaux horizons linguistiques. Certains textes, certains exercices permettront à l'étudiant, dans la seconde partie de l'ouvrage, d'exercer sa créativité, pour faire en sorte que ces « façons de parler » deviennent siennes.

Un dernier point. Ces locutions, pour l'essentiel, relèvent d'un registre homogène, celui d'un français moyen, ni trop recherché, ni trop familier ou argotique. Toutefois, dans certains cas, la mention (fam.), c'est-à-dire « familier », signale les locutions que l'on retrouvera de préférence dans les échanges oraux ou écrits de type amical ou familier, comme la mention (péj.), c'est-à-dire péjoratif, signale les termes dépréciateurs.

Table des matières

THÈMES

Situations/comportements

1   Présentation, allure

Être vêtu avec soin, avec recherche, c'est — **être tiré à quatre épingles.**
Se vêtir de ses plus beaux habits, c'est — **se mettre sur son trente et un.**
S'habiller des pieds jusqu'à la tête, c'est — **s'habiller de pied en cap.**
Avoir une allure quelconque, ordinaire, c'est — **ne pas payer de mine.**
Ne pas avoir l'air en forme, avoir l'air sombre, c'est — **faire triste figure.**

2   Nourriture, appétit

Avoir très faim, c'est — **avoir l'estomac dans les talons.**
avoir une faim de loup.

Avoir un tout petit appétit, manger très peu, c'est — **avoir un appétit d'oiseau.**
Être nourri, rassasié d'un rien, c'est — **vivre de l'air du temps.**
N'avoir rien à manger, c'est — **n'avoir rien à se mettre sous la dent.**
Un plat qui fait très envie est un plat qui — **fait venir l'eau à la bouche.**
peut s'employer aussi au sens figuré à propos d'un programme, d'un projet qui fait particulièrement envie.

Vouloir prendre plus qu'on ne pourra absorber, c'est — **avoir les yeux plus grands que le ventre.**
peut s'employer au sens figuré.

3   Âge

Approcher d'un âge, la quarantaine par exemple, c'est — **friser (la quarantaine).**
N'être ni jeune, ni vieux, c'est — **être entre deux âges.**
L'âge de l'adolescence est souvent appelé — **l'âge ingrat.**
Une personne qui n'est plus vraiment jeune, qui commence à vieillir sera une personne d' — **âge mûr.**

Être assez âgé, c'est être d'
Une personne qui est encore vigoureuse, en pleine forme est
Arriver à un âge qui marque une étape dans la vie de quelqu'un (la quarantaine, la cinquantaine), c'est

Paraître son âge de façon évidente, c'est

un âge avancé.

dans la force de l'âge.

franchir / passer / le cap de la quarantaine / cinquantaine.

porter son âge, accuser son âge.

4 Sommeil

Dormir en toute tranquillité, c'est

dormir du sommeil du juste,
dormir sur ses deux oreilles.
expression employée aussi et très souvent au sens figuré pour dire : être parfaitement tranquille, ne ressentir aucune inquiétude.

Se réveiller à certains moments, être en alerte, c'est
Ne pas pouvoir dormir, c'est

ne dormir que d'un œil.
passer une nuit blanche.

5 Turbulences

Se livrer à des excès de toutes sortes, mener une vie très agitée, c'est

faire les quatre cents coups *(fam.)*
brûler la chandelle par les deux bouts,
mener une vie de bâtons de chaise.

6 Amour

Éprouver une passion subite pour quelqu'un, c'est
Dire toutes sortes de choses pour séduire, c'est
Regarder quelqu'un avec des yeux pleins de sentiment, d'amour, c'est lui
Rendre un service dans l'espoir de toucher le cœur de quelqu'un, c'est le
Rendre quelqu'un fou d'amour, c'est lui
Essayer d'attirer l'attention de quelqu'un, c'est lui
Être séduit par quelqu'un, c'est

avoir le coup de foudre.

conter fleurette.

faire les yeux doux.

faire pour ses beaux yeux.
tourner la tête.

tourner autour.
être sous le charme.

7   Rires, moqueries

Se moquer de quelqu'un, c'est, à son sujet,
Se moquer de quelqu'un, c'est aussi le
Être celui dont on se moque tout le temps, c'est

faire des gorges chaudes.
mettre en boîte *(fam.)*.

être la tête de Turc,
servir de tête de Turc.

Se forcer à rire alors qu'on n'en a pas du tout envie, c'est
Rire très fort, c'est

rire jaune.
rire aux éclats *(d'où : des éclats de rire)*,
rire à gorge déployée.

Rire sans raison apparente, pour une raison connue de soi seul, c'est

rire aux anges.

Dans un groupe, chercher à faire rire les autres, c'est

être un boute-en-train.

8   Projets

Avoir une idée que l'on n'a pas encore communiquée aux autres, c'est
S'accrocher à une idée, un projet, c'est
Faire des projets peu réalistes, voire irréalisables, c'est

avoir une idée derrière la tête.
se mettre quelque chose en tête.

bâtir des châteaux en Espagne,
tirer des plans sur la comète.

9   Influence

Avoir de l'influence, des amis ou des relations haut placés, c'est
Avoir beaucoup d'influence dans un milieu donné, y faire ce que l'on veut, c'est y

avoir le bras long.

faire la pluie et le beau temps.

Exercices

● Complétez les phrases suivantes :

Il est déjà une heure, arrête-toi au prochain restaurant, j'ai ...... Mon petit déjeuner est loin.

Ma fille me donne du souci, à table elle ne mange presque rien. Elle a ...... Voyez cet homme, il ne paie pas ...... et pourtant, c'est le plus gros propriétaire du coin.

Elle s'est mise sur ...... pour aller au mariage de sa cousine.

Depuis qu'il s'était réfugié dans le bois, il n'avait plus ...... Il fallait qu'il sorte de sa cachette, c'était vital.

Mon grand-père vécut jusqu'à un âge ......, il mourut à 93 ans.

Tous les soirs, il sort, il joue aux cartes, il boit avec des copains. Il mène vraiment ......

Tu as vu? Sans maquillage et mal coiffée, elle ...... son âge.

Mon fils est infernal ces temps-ci, mais il est vrai qu'il est en plein âge ......

Si je surprends encore l'employé à te faire ......, je le flanque à la porte pour lui apprendre les convenances.

C'était un homme tranquille, mais elle lui a ......, il a quitté femme et enfants pour la suivre.

Il a fait les ...... tant qu'il était jeune, mais maintenant, il s'est rangé et il a pris la succession de son père.

C'est bien simple, à peine l'avait-il vue qu'il eut ...... ; un mois plus tard, il l'épousait.

Terribles ces sketches de Devos. L'autre soir, toute la salle riait ......

Pauvre Pierre, on le ridiculise, c'est ...... de l'atelier.

Il se disait bras droit du patron, mais quand on a su qu'il n'était que garçon de bureau, tout le monde en a fait ......

Il aura sa mutation pour le Midi, c'est évident, son oncle a ......, c'est un ami du ministre.

Mais pourquoi te propose-t-il de racheter tes parts? Il doit avoir ......

Cet été nous irons aux Indes et si nous nous y plaisons, nous pourrons y rester quelque temps, voire même nous y installer.
— Cesse, s'il te plaît, de ......

Argent

Ne pas être très riche, c'est

ne pas rouler sur l'or, tirer le diable par la queue, avoir du mal / de la peine à joindre les deux bouts.

Ne pas avoir grand-chose pour vivre, c'est

vivre de l'air du temps, vivre d'amour et d'eau fraîche.

Être obligé de limiter ses dépenses, c'est

se serrer / se mettre la ceinture.

Consentir des sacrifices importants, c'est

se saigner aux quatre veines.

Coûter, valoir très cher, c'est

coûter / valoir les yeux de la tête.

Acheter quelque chose qui n'est pas cher, l'obtenir pour un bon prix, c'est l'

obtenir / acheter / avoir pour une bouchée de pain.

Coûter, valoir très peu, c'est

coûter / valoir trois fois rien.

Dépenser beaucoup d'argent sans faire attention, c'est

jeter l'argent par les fenêtres.

De quelqu'un qui dépense immédiatement l'argent qu'il vient de recevoir, on dit que

l'argent lui brûle les doigts.

D'une personne particulièrement prodigue, dépensière, on dit qu'elle

est un panier percé.

D'une personne qui doit beaucoup d'argent, on dit qu'elle est

criblée, couverte de dettes, endettée jusqu'au cou.

Faire des économies sans intérêt, sur des points secondaires du train de vie, c'est

faire des économies de bouts de chandelles.

Mettre de l'argent de côté en cas d'un malheur imprévu, c'est

garder une poire pour la soif.

Se plaindre d'être sans ressources, c'est

crier misère.

Améliorer sa situation financière, c'est

mettre du beurre dans les épinards.

Avoir des propriétés, une fortune reposant sur des bases solides, c'est

avoir du bien au soleil.

Être très riche, c'est

être cousu d'or.

Vivre en dépensant beaucoup d'argent, en ayant un train de vie particulièrement élevé, c'est

vivre sur un grand pied.

Lectures

Cet homme habile n'avait reçu qu'une instruction sommaire. Il savait lire et signer, mais rien de plus. Il en souffrit secrètement toute sa vie, finit par croire que l'instruction était le Souverain Bien, et il s'imagina que les gens les plus instruits étaient ceux qui enseignaient les autres. Il se saigna donc aux quatre veines pour établir ses six enfants dans l'enseignement.

Marcel Pagnol, La Gloire de mon père, Pastorelly.

Charles fit pour manger divers métiers. Il tapa du piano pour un professeur de danse, vendit des encyclopédies au porte-à-porte, enseigna le solfège dans un cours privé. Las de tirer le diable par une queue trop courte, il décida enfin de se débarrasser de son service militaire.

Claude Roy, La Traversée du pont des Arts, Gallimard.

L'argent fond dans les mains plus ou moins rapidement selon qu'il brûle les doigts plus ou moins fortement.

Pierre Dac, Les Pensées, Éd. du Cherche-Midi.

L'EXPRESS INFORMATIONS

FRANCE-ECONOMIE

La rentrée ceinture

La rentrée 1979 est la première depuis la crise où le pouvoir d'achat ne sera plus garanti. Un sondage L'Express-Louis Harris, les notes de nos correspondants confirment la déprime des Français, qui se sentent impuissants, « à la merci de n'importe quoi »...

L'Express, septembre 1979

Humour :

AU JOUR LE JOUR : bouts de chandelle

Je ne sais pas si l'on a bien interprété l'attitude de M. Raymond Barre[1] refusant de fêter le troisième anniversaire de son arrivée au pouvoir.

Ce n'est ni la fausse modestie, ni la conscience de l'échec qui l'empêchent ainsi de se livrer à la traditionnelle cérémonie du gâteau couronné de bougies.

D'abord, il lui faudrait partager le gâteau en public et, connaissant son propre style, il peut craindre que sa manière de concevoir une répartition équitable ne prête à quelques critiques de mauvais augure.

Ensuite et surtout, il tient sans doute à faire personnellement un apport enfin efficace et positif à sa grande politique : en supprimant les bougies, on économise des bouts de chandelle.

Robert Escarpit, Le Monde, 25 août 1979

1   Raymond Barre, nommé premier ministre en août 1976. Il fêtait en août 1979 le troisième anniversaire de son arrivée au pouvoir.

LES TENTATIONS DE L'OR

La rentrée ne sera pas difficile pour tous les Français. Ceux qui, en ayant les moyens, ont eu la sagesse d'acheter de l'or ou des emprunts indexés sur l'or pourront supporter allègrement les rigueurs budgétaires. Depuis le 1er janvier 1979, le prix du lingot a progressé de 60 %, celui du napoléon de 63 %, celui du 7 % de 1973, de 59 %... Après des hausses aussi impressionnantes, il n'est pas étonnant que, dans les salons, toutes les conversations roulent sur l'or.

Le Nouvel Économiste, 17 septembre 1979

Exercices

● Complétez les phrases suivantes :

Ne laisse pas toutes les lampes allumées, l'électricité, ça coûte cher.
— Oh! écoute, ne m'embête pas avec tes économies ......

Ce ne sont que sorties, réceptions, voyages, etc. Ils vivent ......

Il est incapable de faire des économies. On dirait que l'argent ......

C'était les soldes aux Galeries Lafayette, regarde cette jupe, je l'ai eue
pour ......

Ils ont juste une petite retraite, évidemment ils ......

Et alors ? Vous comptez vous marier sans avoir de situation ! Et vous
pensez pouvoir vivre ...... !

Elle s'est ...... pour donner à ses quatre enfants une excellente situation.

Il fait beaucoup d'heures supplémentaires pour mettre un peu ......

● Répondez en utilisant la locution qui vous paraît convenir :

Vous avez perdu votre travail, votre femme est malade et vous devez
vivre avec vos quatre enfants avec l'indemnité de chômage. Que direz-
vous à un ami qui s'interroge sur votre situation ? ......

M. Lenoir a plusieurs immeubles, une villa à Saint-Tropez, un
château en Normandie sans compter un solide paquet d'actions. Vous
parlez de lui à un ami. Que direz-vous à son propos ? ......

Votre femme voudrait s'acheter un manteau de vison / votre mari
voudrait s'acheter une chaîne haute-fidélité ultra-perfectionnée. Mais
en ce moment, vous n'êtes pas très riche. Que lui répondez-vous ? ......

Votre fils est incapable de garder cinq minutes une somme d'argent.
Il faut qu'il la dépense immédiatement. Quelle remarque lui ferez-
vous ? ......

Paroles

1 Façons de parler

Échanger des propos sans intention particulière, c'est	parler à bâtons rompus.
Dire les choses à quelqu'un directement, c'est les lui	dire de vive voix.
Parler en faisant très attention à ce que l'on dit, c'est	peser ses mots.
Changer constamment de sujet de conversation, sans raison apparente, c'est	passer / sauter du coq à l'âne.
Dire quelque chose à quelqu'un de façon discrète et rapide, c'est lui	glisser un mot à l'oreille.
Dire les choses de façon indirecte, c'est	parler à mots couverts.
Ne pas dire la totalité des choses, c'est	laisser planer un doute.
Admettre, reconnaître, autoriser quelque chose avec réserve, c'est le faire	du bout des lèvres.
Faire savoir quelque chose à tout le monde, c'est le	crier sur les toits.
Réclamer quelque chose avec insistance, c'est le faire	à cor et à cri.

2 Refus, impossibilités, difficultés

Avoir une voix très faible, c'est	avoir un filet de voix.
Être empêché de dire quelque chose, c'est	avoir un bœuf sur la langue *(fam.)*.
Refuser absolument de parler, c'est	ne pas desserrer les dents.
Avoir du mal à retrouver un mot, c'est l'	avoir sur le bout de la langue.
Refuser d'entendre quelque chose, c'est	faire la sourde oreille.

3 Franchise

Dire ce que l'on pense vraiment, appeler les choses par leur nom, c'est	appeler chat un chat.
Dire à quelqu'un ce que l'on pense vraiment de lui, c'est lui	dire ses quatre vérités.

Mettre les choses au clair, faire connaître très exactement son point de vue, c'est	**mettre les points sur les *i*.**
Parler en toute franchise, c'est	**parler à cœur ouvert.**

4   Légèreté

Parler inutilement, c'est	**parler pour ne rien dire.**
Parler sans faire attention, sans mesurer la portée de ses paroles, c'est	**parler en l'air,** **prononcer des paroles en l'air.**
Parler de quelque chose de façon un peu irresponsable, c'est	**en parler à son aise.**
Dire des choses évidentes, sans intérêt, c'est	**enfoncer des portes ouvertes.**

to break

5   Facilités, possibilités

D'une personne qui parle tout le temps, on dit d'elle qu'elle est	**un moulin à paroles.**
De quelqu'un qui parle très facilement de tous les sujets, sans s'inquiéter de l'opinion des autres, on dit qu'elle	**a la langue bien pendue.**
Avoir le droit d'intervenir, de faire connaître son avis, c'est	**avoir voix au chapitre.**

6   Gêne, agressivité

Gêner les gens en reprenant toujours les mêmes propos, c'est leur	**rebattre les oreilles.**
Être dur dans son jugement sur les gens, c'est	**avoir la dent dure.**
Dire toujours du mal des gens, c'est	**avoir une langue de vipère,** **être une mauvaise langue.**
Dire du mal de quelqu'un dans son dos, c'est lui	**casser du sucre sur le dos** *(fam.).*
Dire le plus grand mal possible de quelqu'un, c'est à son sujet	**dire pis que pendre.**
Imposer silence à quelqu'un, c'est lui	**clore / clouer le bec,** **river son clou** *(fam.).*

clouer = to nail

Lecture

Mesdames et messieurs..., je vous signale tout de suite que je vais parler pour ne rien dire.

Oh! Je sais!

Vous pensez :

« S'il n'a rien à dire... il ferait mieux de se taire! »

Évidemment! Mais c'est trop facile... C'est trop facile! Vous voudriez que je fasse comme tous ceux qui n'ont rien à dire et qui le gardent pour eux?

Eh bien non! Mesdames et messieurs, moi, lorsque je n'ai rien à dire, je veux qu'on le sache!

Je veux en faire profiter les autres!

Et si, vous-mêmes, mesdames et messieurs, vous n'avez rien à dire... on en parle, on en discute!

Je ne suis pas un ennemi du colloque.

Mais me direz-vous, si nous parlons pour ne rien dire, de quoi allons-nous parler?

Eh bien, de rien!

De rien!

Car rien... ce n'est pas rien!

La preuve, c'est qu'on peut le soustraire.

Exemple :

Rien moins rien = moins que rien!

Si l'on peut trouver moins que rien, c'est que rien vaut déjà quelque chose!

On peut acheter quelque chose avec rien!

En le multipliant!

Une fois rien... c'est rien!

Deux fois rien, ce n'est pas beaucoup!

Mais trois fois rien!... Pour trois fois rien, on peut déjà acheter quelque chose...

et pour pas cher!

Raymond Devos, *Sens dessus dessous,* Stock.

Humour :
Comment illustrer de façon amusante des expressions très connues :

Mandryka et Gotlib, *Clopinettes*, Éd. Dargaud.

Exercices

• Complétez les phrases suivantes :

Tu en parles ....., on voit bien que ce n'est pas toi qui est concerné.

Elle parle sans arrêt et finit par me donner la migraine. C'est un vrai ....

Dites donc ! ce n'est pas parce que je suis nouvelle que je ne dois pas .... J'ai mon opinion moi aussi.

Tu vas voir ! A la réunion, je m'en vais leur dire ce que je pense et mettre ....

Oh zut ! Je n'arrive pas à retrouver le titre de ce film et pourtant je l'ai ....

Je m'en vais aller le trouver et lui dire ....

Chef, impossible d'obtenir le moindre renseignement, il ne veut pas ....

Oui, mais quand tu parles à quelqu'un, ..., tu ne te mettras pas ainsi tout le monde à dos.

Chaque fois que nous le rencontrons, il nous ..... avec son dernier voyage en Chine.

Elle me faisait des réflexions désagréables, mais je lui ai ...... en lui parlant de son gamin renvoyé de l'école.

Méfie-toi d'elle, c'est une ....., elle démolit une réputation en moins de deux minutes.

• Répondez en utilisant la locution qui vous paraît convenir :

Un ami vous demande l'adresse d'un magasin de disques. Vous avez du mal à la retrouver, alors que vous la connaissez très bien. Que lui direz-vous ? ....

Vous vous lamentez car vous ne pouvez pas partir en vacances faute d'argent.
— Bah ! ça sera pour l'an prochain, vous dit votre interlocuteur. Que lui répondrez-vous ? ....

Dans une déclaration à la presse, le représentant du mouvement insurrectionnel laisse entendre que d'autres actions pourraient être engagées. Mais ce n'est pas certain. Un journaliste résume cette déclaration. Que fera-t-il ? ....
La concierge d'un immeuble porte des jugements sévères sur tous les locataires, se mêle de tout, discute avec tout le monde. Votre ami va habiter dans cet immeuble. Vous l'avertissez. Que lui direz-vous ? ....

Départs / déplacements

1   Partir

Partir discrètement, sans dire au revoir, c'est **filer à l'anglaise.**

Partir discrètement sans vouloir déranger personne, c'est **partir / s'en aller sur la pointe des pieds.**

Partir à toute vitesse, c'est **prendre ses jambes à son cou,**

S'enfuir, s'échapper, c'est **prendre la poudre d'escampette.**

Se préparer au départ, c'est **prendre la clé des champs.**

Partir en emportant toutes ses affaires avec soi, c'est **jouer la fille de l'air** *(fam.)*. **plier bagages. prendre ses cliques et ses claques.**

D'un locataire qui s'en va sans payer son loyer au propriétaire, on dit qu'il est **parti à la cloche de bois.**

Quitter quelqu'un sans le prévenir, alors qu'il comptait sur vous, c'est lui **fausser compagnie.**

Être mis dehors, renvoyé d'un endroit, c'est **prendre la porte, être mis à la porte.**

Ne plus revenir dans un endroit, c'est **ne plus y mettre les pieds.**

Ne pas venir alors que l'on compte sur vous, c'est **faire faux-bond.**

2   Se déplacer

Se déplacer avec une extrême vitesse, c'est **aller ventre à terre.**

Se déplacer de façon très discrète, de manière à ne pas être entendu, c'est **aller/marcher à pas de loup.**

Marcher le plus discrètement possible, de façon à ne pas être aperçu, c'est **raser les murs.**

Se déplacer les uns derrière les autres, c'est **aller/marcher à la queue-leu-leu, en file indienne.**

Faire son chemin dans la foule, en écartant les gens de force, c'est **jouer des coudes.**

3   Rester

Ne pas bouger, attendre, c'est

prendre racine.

Attendre quelqu'un depuis un long moment,
c'est

faire le pied de grue.

Lectures

**Un gros fer à cheval
galopait ventre à terre
dans les sentiers de la forge.**

François Dodat, *Actualités 2*, Éd. Club du Poème

Humour :

Mandryka et Gotlib,
Clopinettes, Dargaud

Exercices

● **Complétez les phrases suivantes :**

**Dès qu'il a vu son nom sur la liste des reçus, il a pris ..... pour annoncer
la nouvelle chez lui.**

**Qu'est-ce qu'il fait celui-là à ....., c'est bizarre, peut-être prépare-t-il un
mauvais coup?**

**Non mais dis donc, tu as vu l'heure? Une demi-heure de retard! Je
commençais à ......**

Il s'ennuyait à mourir dans cette soirée. Il a ......

On mange vraiment trop mal dans ce restaurant. Je n'y ......

**Vous ne savez pas ce qui est arrivé à Mme Martin? Son locataire, le
jeune étudiant, est parti ...... Elle n'a pas eu un sou.**

Temps

1 Météorologie

Quand il pleut très fort, on dit qu' **il pleut / il tombe des hallebardes.**

D'un brouillard très épais, on dit que c'est **un brouillard à couper au couteau.**

D'un froid particulièrement vif, on dit que c'est **un froid de loup / de canard.**

Quand il gèle très fort, on dit qu' **il gèle à pierre fendre.**

D'un temps mauvais, on dit que c'est **un temps de chien, un temps à ne pas mettre un chien dehors.**

D'un vent très fort, on dit qu'il s'agit d' **un vent à décorner les bœufs.**

Lorsque le temps commence à être frais, sans pour autant être froid, on dit que **le fond de l'air est frais.**

Quand on a été mouillé par la pluie, on dit qu' **on est mouillé / trempé jusqu'aux os.**

Quand on frissonne parce qu'on a froid, on dit qu' **on a la chair de poule.**

Mais quelque chose qui fait peur **donne la chair de poule.**

2 Calendrier

Prochainement, sans date précise, est exprimé par **un de ces quatre matins.**

Renvoyer quelque chose à plus tard, le plus tard possible, sans fixer la date, c'est le renvoyer **à Pâques ou à la Trinité, à la Saint Glin-Glin *(fam.)*, aux calendes grecques.**

Il y a très longtemps, c'est **il y a belle lurette *(fam.)*.**

Entre le coucher du soleil et la nuit noire, c'est **entre chien et loup.**

Exercices

● Complétez les phrases suivantes :

Ce matin, on ne voyait même pas la maison du voisin. Il y avait ......

L'orage a éclaté quand j'étais sur la route, je n'avais ni imperméable, ni parapluie. Je suis rentré ......

Couvre-toi bien, il fait ......

Il y a ...... que je t'ai rendu ce livre, alors ne viens pas encore me le réclamer.

Vous verrez qu'...... il partira sans rien dire à personne.

Je suis désolé, mais pour ce qui concerne votre projet, je ne peux rien vous dire. Je ne sais même pas s'il sera examiné un jour. La réunion a été repoussée ......

Malaises / troubles / tristesse

Ne pas se sentir bien, être de mauvaise humeur, triste, c'est

avoir le cafard,
avoir des idées noires.

Se lever en étant de mauvaise humeur, c'est

se lever du pied gauche.

Avoir l'air particulièrement sombre, triste, c'est

faire une tête d'enterrement.

Avoir de la peine, c'est

avoir le cœur gros.

Ne pas avoir le courage de faire quelque chose, c'est

ne pas avoir le cœur à le faire.

Quand on fait quelque chose sans en avoir envie, sans courage, sans enthousiasme, on dit que

le cœur n'y est pas.

Quand on fait quelque chose en le regrettant profondément, on dit qu'on le fait

la mort dans l'âme.

Quand on a l'air particulièrement triste, inconsolable, on dit que l'

on erre / on va / on est comme une âme en peine.

Dire n'importe quoi, perdre la raison, c'est

battre la campagne,
ne plus avoir tous ses esprits,
ne pas avoir sa tête à soi,
perdre la tête.

Ne plus savoir où l'on en est, faire, dire n'importe quoi, c'est

perdre le nord / la boussole.

Être particulièrement troublé, inquiet, c'est

être dans tous ses états.

Ne pas se sentir bien, sans connaître exactement la cause du malaise, c'est

ne pas être / se sentir dans son assiette.

Avoir le visage fatigué, c'est

avoir les traits tirés.

Mais, se porter très bien, c'est

se porter comme un charme.

Exercices

● Complétez les phrases suivantes :

Il faut lui annoncer que son mari vient d'avoir un très grave accident à l'usine, mais je n'ai pas ......

Mon cheval s'est cassé la patte, j'ai dû le faire abattre ......

Je l'ai rencontrée aujourd'hui, elle est tout à fait guérie, elle se porte ......

Qu'est-ce qu'il crie le patron, ce matin ! Il a dû se lever ......

Mon père est très âgé maintenant, il n'a plus ......, ne faites pas attention à ce qu'il dit.

Il fait gris, ce matin, je m'ennuie, j'ai ......

● Répondez en utilisant la locution qui vous paraît convenir :

Vous rencontrez un ami. Il est agité, pâle, énervé. On vient de le cambrioler. En rentrant à midi, vous en parlez à votre femme / votre mari. Que lui direz-vous ? ......

La fille de votre voisine s'est fait renverser par une voiture. On vous demande d'aller prévenir la mère. Mais vous n'avez pas ce courage. Que répondrez-vous ? ......

Humour

PETITES ANNONCES

Charbonnier, ayant
idées noires demande
place blanchisseur.

Pierre Dac, *L'Os à moelle*, Julliard.

trouver un exemple

Occasion / opportunité

Ne pas laisser échapper une occasion, c'est
→ sauter sur l'occasion,
saisir l'occasion par les cheveux.

Profiter de ce qu'une occasion favorable se présente, c'est
→ saisir la balle au bond,
battre le fer tant qu'il est chaud.

Profiter d'une occasion favorable pour régler deux affaires en même temps, c'est
→ faire d'une pierre deux coups.

Arriver, se présenter au bon moment, c'est
→ tomber bien *(fam.)*.

S'adresser à quelqu'un juste au moment où il passe, c'est le
→ saisir au vol.

Ne tenir qu'à peu de choses, être fragile, c'est
→ ne tenir qu'à un fil,
ne tenir qu'à un cheveu.

Quand on a failli manquer quelque chose de très peu, c'est qu'
→ il s'en est fallu d'un cheveu. *(a peine)*

Devancer quelqu'un au dernier moment, alors qu'il ne s'y attend pas, c'est lui
→ couper l'herbe sous les pieds.

Une occasion que l'on manque est une occasion qui
→ passe sous le nez.

Arriver en retard, ne pas savoir saisir l'occasion, c'est
→ manquer le coche. *to miss the boat*

Échapper de justesse à un accident, à une catastrophe, c'est
→ l'échapper belle.

25

Faire

Exercices

• Complétez les phrases suivantes :

Ah, tu ....., j'avais justement un service à te demander !

Il s'en est fallu ..... que je me fasse écraser par le bus.

Le patron est d'humeur charmante ce matin, bats ..... et profites-en pour demander une augmentation !

Elle hésitait à acheter cette maison, et au moment où elle s'est enfin décidée, son beau-frère lui a ..... la rachetant lui-même.

Il y a des soldes aux « Galeries Lafayette » ! Vite, il faut .....!

Et voilà encore un travail intéressant qui t'est ....., tout ça parce que tu ne t'es pas présenté assez vite.

• Répondez en utilisant la locution qui vous paraît convenir.

Vous deviez prendre le Boeing d'Air France. A la dernière minute, vous vous désistez. Le soir, vous apprenez qu'il s'est écrasé. Que pensez-vous à ce moment-là ? ......

Vous êtes en retard, mais vous parvenez à sauter sur le marchepied du train juste au moment où celui-ci démarre. Que dites-vous à votre ami qui vous attend à l'arrivée ? ......

Détails / attention

Être à la recherche du moindre défaut, c'est

Accorder une attention excessive à des détails parfaitement secondaires, pour le plaisir de compliquer les choses, c'est

Examiner quelque chose dans ses moindres détails, c'est l'
Explorer un endroit ou rechercher quelque chose sans rien laisser de côté, c'est
D'un argument bien compliqué, qui joue sur les détails, on dit qu'il est
Être difficile, c'est

une personne

chercher la petite bête, *to extra picky*
chercher des poils sur un œuf *(fam.)*.

couper les cheveux en quatre,
chercher midi à quatorze heures.

examiner sous toutes les coutures.

passer au peigne fin *(un endroit...)*.

tiré par les cheveux.
faire la fine bouche.

be very picky

Lectures

Dans la presse :

PETROLE : Le sous-sol français passé au peigne fin

pour trouver de nouveaux gisements

France-Soir, 12-13 août 1979

Pensées :

Pour ceux qui cherchent midi à quatorze heures, la minute de vérité risque de se faire longtemps attendre.

Pierre Dac, *Les Pensées,* Éd. du Cherche-Midi.

Poésie :

UNE PRISON DÉMOLIE

On démolit
le Cherche-Midi[1]
à quatorze heures
tout sera dit

Raymond Queneau, *Courir les rues.*

1   Le Cherche-Midi était une prison installée en plein centre de Paris.

Exercices

● Complétez les phrases suivantes :

Dis donc, ton histoire est *tiré par les cheveux*. Ce n'est pas avec ça que tu t'en tireras devant un jury.

Il est tatillon, toujours à inspecter ce que je fais et à chercher ......

● Répondez en utilisant la locution qui vous paraît convenir :

Vous passez une épreuve orale à un examen. On vous pose sans arrêt des questions sur des détails secondaires. Que vous dites-vous intérieurement à propos de ces examinateurs ? ...... *Il coupe les cheveux en 4*

L'assassin n'a guère laissé d'indices dans la maison et pourtant le moindre détail compte. Les journalistes présents sur les lieux s'inquiètent. Le commissaire de police les rassure. Que va-t-il leur dire ? ......

Nous avons passé la maison au peigne fin

Gêne / désagrément

Déranger quelqu'un, l'empêcher de faire ce qu'il veut en lui parlant sans arrêt, c'est lui **tenir la jambe** *(fam.)*.

Déranger quelqu'un, l'embêter, c'est lui **casser les pieds** *(fam.)*.

Être sans arrêt derrière quelqu'un, ne pas lui laisser un instant de tranquillité, c'est **se suspendre / être pendu à ses basques.**

Se retrouver avec une affaire délicate à régler (ou avec une personne à problèmes) et dont personne ne veut, c'est l' **avoir sur les bras.**

Essayer de faire échouer un projet, une affaire, c'est lui *empêcher aqn de réussir* **mettre des bâtons dans les roues.**

Causer une gêne importante à quelqu'un, c'est lui **enfoncer une épine dans le pied.**

Faire en sorte que quelqu'un échoue, être malveillant à son égard, c'est lui **glisser une peau de banane** *(fam.)*, **savonner la planche** *(fam.)*.

step over
Empiéter sur les affaires de quelqu'un, c'est **marcher sur ses plates-bandes.**

Insister de manière à évoquer des souvenirs qui dérangent, c'est **remuer le couteau / le fer dans la plaie.**

Désigner exactement les défauts, les inconvénients d'une situation que tout le monde refusait de voir, c'est **mettre le doigt sur la plaie.**

Aviver une querelle, c'est **verser / jeter / mettre de l'huile sur le feu.**

faire des bêtises
Se décider à dire les choses comme elles sont, même si cela dérange, c'est **mettre les pieds dans le plat.**

Être parfaitement inutile et s'attribuer le succès d'une affaire, c'est **être la mouche du coche.**

Ne servir à rien, c'est **être la cinquième roue de la charrette / du carrosse.**

Arriver sans être attendu et déranger tout le monde, c'est **arriver comme mars en carême, arriver comme un chien dans un jeu de quilles.**

bowling pins

Dans la presse :

L'OUVERTURE DES MAGASINS LE DIMANCHE

Du côté du ministère du Commerce et de l'Artisanat, on se fait plutôt discret. Le nouveau ministre, M. Émile Charretier, se garde bien de jeter de l'huile sur le feu et préfère renvoyer l'affaire, sinon aux calendes grecques, du moins à la fin de l'année.

Le Monde, 15 août 1979

Peugeot-Citroën a rebaptisé les ex-Simca-Chrysler d'un nom prestigieux, mais l'opération - coûteuse - n'a peut-être fait qu'enfoncer une épine dans la patte du Lion sochalien
par Laurent Carenzo

Le Matin, 8-9 septembre 1979

Exercices

● Complétez les phrases suivantes :

Chaque fois que je propose un projet au patron, mon coéquipier me met ..... par jalousie.

On le sait qu'il a été collé à son examen. Ne remue pas constamment ......

C'est toujours pareil, vous décidez, vous organisez et moi je ne compte pas. J'en ai assez d'être ......

Je n'ai rien pu faire aujourd'hui. Jacques est passé et m'a ..... toute l'après-midi.

Il ne veut pas qu'on lui parle de son fils qui a mal tourné, tu le sais ! Et, bien entendu, tu as mis ..... en lui demandant : « Que fait votre garçon maintenant ? ».

Cette gamine est vraiment collante. Je l'ai toujours ......

● Répondez en utilisant l'expression qui vous parait convenir :

Votre frère ne cesse de tourner autour de vous. Il vous empêche de travailler. Qu'allez-vous lui dire ? ......

Vos voisins se disputent. Vous essayez de vous interposer mais vous avez une parole malheureuse et la querelle continue de plus belle. Qu'est-ce que vous vous dites ? ......

Votre belle-mère ne veut plus vivre seule. Ses autres enfants ont trouvé des prétextes pour ne pas la prendre avec eux. Vous êtes obligé de l'accueillir. Vous n'êtes pas content. Que direz-vous à votre femme / mari ? ......

Problèmes / difficultés

Quand il se passe des choses anormales, ça ne va pas très bien, on dit que **ça ne tourne pas rond** *(fam.)*.

Être dans une situation constamment incertaine, instable, toujours changeante, c'est **passer par des hauts et des bas.**

Rencontrer des difficultés dans l'exécution d'une tâche, dans la résolution d'un problème, c'est **avoir du fil retordre.**

Être à l'origine de difficultés, c'est **donner du fil à retordre.**

Aller de difficulté en difficulté, à chaque fois plus grave, c'est **tomber de Charybde en Scylla.**

Lorsqu'il est très difficile d'obtenir quelque chose, que l'on se heurte à toutes sortes de complications, on dit que **c'est la croix et la bannière.**

Rechercher une solution avec effort, c'est **se creuser la tête.**

Être dans une mauvaise situation, c'est **être dans le pétrin** *(fam.)*.

Être confronté à toutes sortes de problèmes **être / se mettre dans de vilains / beaux draps.**

et ne pas savoir par lequel commencer, c'est **ne plus savoir où donner de la tête.**

Ne pas savoir quelle solution trouver, quelle attitude adopter, c'est **ne pas savoir sur quel pied danser, ne pas savoir à quel saint se vouer.**

Se faire du souci, être inquiet, c'est **se faire des cheveux** *(fam.)*, **se faire du mauvais sang, se faire de la bile** *(fam.)*, **se mettre martel en tête.**

Ressentir une vive inquiétude dans l'attente d'une solution, d'un dénouement, c'est **être sur des charbons ardents.**

Se trouver dans une position incertaine, provisoire, c'est **être comme l'oiseau sur la branche**

Être dans une situation inconfortable, ne pas pouvoir adopter une solution de façon claire et définitive, c'est **être / se trouver assis entre deux chaises.**

Se trouver pris entre deux partis opposés, avec la perspective d'être victime des deux, quoi qu'il arrive, c'est **être pris entre l'arbre et l'écorce, être pris / se trouver entre le marteau et l'enclume.**

Être inquiet, avoir peur, c'est	**ne pas en mener large.**
S'accommoder de la situation et de ses inconvénients, c'est	**faire contre mauvaise fortune bon cœur,** **prendre son parti des choses.**
Aller au-devant de graves difficultés, c'est	**tenter le diable,** **jouer avec le feu.**
Avoir un moment difficile à passer, c'est	**passer un mauvais quart d'heure,** **en voir de toutes les couleurs.**

Lectures

Humour...

Petites annonces :

Demande d'emploi :
MONSIEUR ayant déjà eu des hauts et des bas demande place garçon d'ascenseur.

Pierre Dac, *L'Os à moëlle*, Julliard

... noir

Le Monde, 7-8 octobre 1979

Ce dessin est paru dans un article consacré à la situation des Portugais en France. Comment pourriez-vous le traduire verbalement ?

Exercices

- Complétez les phrases suivantes :

Qu'est-ce que tu as ce matin ? Ça ne ...... ? Tu as des ennuis ?

Vous savez, je ne sais pas si je resterai dans cette ville, rien ne m'y retient particulièrement, je suis comme ....

La construction de l'immeuble a été interrompue et l'entrepreneur s'est enfui avec l'argent. Nous allons ....

Tu as laissé ton sac dans la voiture sans la fermer. Il n'y est plus. Que veux-tu, il ne fallait pas ...... !

Oui, mais si je retrouve le voleur, il passera ....

Mes parents ne veulent pas me laisser sortir le soir. Pour obtenir une permission de minuit, c'est ....

Il vous dit blanc le matin et noir le soir. Avec lui, on ne sait jamais .... A force de ne pas vouloir te décider entre ces deux propositions, tu vas te retrouver ....

- Dans chacune de ces phrases, choisissez la locution qui correspond au passage en italique :

Il n'a plus de travail, sa femme l'a lâché. *Il est dans une très mauvaise situation* (être sur des chardons ardents, être dans le pétrin, être entre l'arbre et l'écorce).

Ma mère était seule hier soir à la maison. Elle a entendu des bruits bizarres. *Elle n'était pas rassurée* (ne pas en mener large, être dans de sales draps, se creuser la tête).

Il ne sait pas si on va l'engager dans cette grosse boîte, *il est particulièrement impatient d'avoir une réponse* (ne pas savoir sur quel pied danser, être assis entre deux chaises, être sur des charbons ardents).

- Répondez en utilisant l'expression qui vous paraît convenir :

Votre fils vous pose pas mal de problèmes. Vous en parlez à un de vos amis, que lui direz-vous ? ....

Vous attendez avec impatience les résultats de vos examens. Vous l'expliquez à un de vos amis. Que lui direz-vous ? ....

Votre ami se plaint de sa situation, de ses soucis. Mais vous ne voyez guère d'autre solution pour lui dans l'immédiat. Que lui direz-vous ? ....

Problèmes / difficultés : attitudes

1   Indifférence

Avoir des choses plus importantes ou plus intéressantes à faire, c'est	**avoir d'autres chats à fouetter.**
Se désintéresser complètement de ce qui pourra s'ensuivre, ne pas se considérer comme responsable, c'est	**s'en laver les mains.**
Quand ce qui arrive laisse indifférent	**ça ne fait ni chaud, ni froid.**
Refuser d'agir, c'est	**se croiser les bras.**
Être parfaitement indifférent à ce qui se passe, ce qui arrive, c'est	**s'en moquer du tiers comme du quart / comme de sa première chemise / comme de l'an quarante.**
Ne pas prendre quelque chose au sérieux c'est	**traiter cette chose par-dessus la jambe, prendre les choses à la légère.**
Refuser d'écouter, c'est	**faire la sourde oreille.**
Résister, n'agir, n'intervenir qu'après de multiples pressions ou interventions, c'est	**se faire tirer l'oreille.**

2   Méfiance, soupçons

Soulever un problème de façon inattendue, à la surprise des gens, c'est	**lever un lièvre.**
Éveiller les soupçons de quelqu'un, c'est lui	**mettre la puce à l'oreille.**
Quand il y a quelque chose que l'on cache, on soupçonne quelque chose, on pense qu'	**il y a anguille sous roche.**
Quand on se méfie, on surveille	**on est sur ses gardes / sur le qui-vive, on veille au grain** *(fam.)*

3 Décision, affrontement

Rassembler tout son courage, c'est **prendre son courage à deux mains.**
Considérer la situation telle qu'elle est, c'est **regarder les choses en face.**
Ne pas hésiter, aller droit au but, c'est **ne pas y aller par quatre chemins, prendre le taureau par les cornes.**

Être prêt à faire face, à affronter, c'est pouvoir **relever le défi.**

4 Obstination, énergie

Ne pas hésiter, attaquer immédiatement un projet, avant même que le processus soit entamé, c'est le **tuer dans l'œuf.**
Agir malgré tous les obstacles que l'on peut avoir à affronter, c'est agir **contre vents et marées.**
Se battre avec énergie, faire intervenir toutes sortes de personnes, essayer toutes les solutions, c'est **remuer ciel et terre, faire des pieds et des mains.**

Intervenir immédiatement, ne pas hésiter, c'est **ne faire ni une, ni deux.**
Agir sans relâcher un instant son effort, c'est **être constamment / sans arrêt sur la brèche.**

Agir avec énergie, avec foi, c'est **y mettre du sien, avoir / mettre du cœur à l'ouvrage, prendre quelque chose à cœur.**

Ne pas se laisser décourager, par un échec, un arrêt, c'est **revenir à la charge.**
Agir de manière à rattraper le temps perdu, c'est **mettre les bouchées doubles.**

Tour de Corse auto :
Les bouchées doubles...

Dans la presse :

Cent vingt-trois équipages figurent sur la liste des engagés du XXIII° Tour de Corse automobile, seule manche française du championnat du monde des rallyes. C'est un chiffre remarquable, pour ne pas dire surprenant, compte tenu de l'extrême difficulté de cette épreuve qui se déroulera du 2 au 4 novembre.

Si vaincre à Monaco représente la consécration pour un pilote de Formule 1 (et même de Formule 3), gagner le Tour de Corse en est une autre pour un pilote de rallye. La course, tellement dure sur la plan physique, pardonne rarement les fautes et le simple fait d'être parmi les classés — dont le peloton est rarement étoffé — constitue déjà un très grand et légitime motif de fierté.

Justement, l'A.S.A.C. de la Corse a trouvé qu'il y avait eu un peu trop de rescapés l'an dernier. A-t-elle estimé du coup que cet événement était de nature à nuire à la légende du Tour de Corse ?

On a tout lieu de le croire, car cette année les organisateurs ont mis les bouchées doubles.

Rentrer à bon port était jusqu'à présent une performance. Pour la XXIII° édition, ce sera un exploit.

On ajoutera « fantastique » si le pilote termine sans pénalisation.

Nice-Matin,
16 octobre 1979

Qui « met les bouchées doubles » ?
Pourquoi un tel titre ?

Lectures

Dans la presse :

ATTENTION, CHIEN AFFECTUEUX

La multiplication des animaux de compagnie (plus de 7 millions de chiens en France) provoque parfois des situations délicates. Témoin, cette mésaventure canine : une copine d'une copine à moi s'offre un coup de cœur extra-conjugal. La promenade quotidienne de son chien sert d'alibi à de tendres rencontres (en baladant le mien, j'ai constaté que le procédé est d'une grande banalité). La brave bête, pipi fait, attendait sagement sur la banquette arrière l'heure de rentrer à la maison.
Les chiens ne parlent pas mais ils s'attachent. Un jour qu'il promène Médor, le mari de la dame s'étonne des folles manifestations d'amitié que celui-ci prodigue à un monsieur qu'il connaît à peine. Il l'a vaguement rencontré une ou deux fois dans des dîners. Il n'en fallut pas plus pour lui mettre la puce à l'oreille (du mari, pas du chien). Moralité : il est dangereux de laisser un chien trop affectueux dans son jardin secret.

Christiane Collange, *Elle,* 24 septembre 1979

Poésie
La guerre déclarée
J'ai pris mon courage
à deux mains
et je l'ai étranglée :

Jacques Prévert, *Fatras*, Gallimard

Humour

Petites annonces
RECHERCHES
Monsieur atteint strabisme divergent cherche monsieur atteint strabisme convergent pour pouvoir ensemble regarder les choses en face.

DEMANDE D'EMPLOI
Par suite désaffection, moulin à vent cherche place d'homme de quart pour veiller au grain. Marion, meunier au Moulin, par La Minoterie (Beauce).

Pierre Dac, *L'Os à moëlle*, Julliard

LE PROVENÇAL   Page SEIZE   Samedi 4 Août 1979   **informations**

Les pompiers du ciel sur la brèche

Le haut-parleur grésille et annonce : « D.C.6 à l'atterrissage pour le plein de retardant ». Autour des citernes, les hommes s'affairent. On branche les tuyaux sur les flancs de l'appareil. Pas un geste inutile. Il suffira de quelques minutes pour que le « bombardier » reparte en mission.

A quelques mètres de là — parcourus sur une piste dont le goudron fond sous l'effet de la chaleur — un hâvre de relative fraîcheur où pilotes et mécaniciens s'accordent quelques rares instants de détente.

Trois hommes arrivent. L'un d'eux dirige, depuis le tour de contrôle, les mouvement des « Canadair » sur les pistes. Les deux autres viennent d'effectuer plusieurs largages sur un feu. Combinaison de vol orange ouverte, casquette à longue visière, ils ont juste le temps de boire un verre. Quelques nouvelles lancées aux pilotes installés au « mess » et ils repartent.

Pour tromper leur attente, d'autres jouent au billard. Mais le feu qu'il va falloir combattre, dans le pays d'Aix, dans le Garlaban ou sur la Côte-Bleue hante les esprits. On croit retrouver, sur la base de la Sécurité Civile à Marignane, cette atmosphère qui devait régner, imagine-t-on, du temps des pionniers. De Mermoz, des Guynemer, des Latécoère. L'époque héroïque de l'aéropostale. Des phrases de « Vol de nuit » remontent à la mémoire et l'on pense à un pilote désintégré aux commandes de son avion, quelque part au-dessus de la Corse.

Des scènes du « Grand balcon »... des clichés... des mythes...

Eric DOMINOIS.

Ici, l'exploit est monnaie courante

Le Provençal, 4 août 1979

Exercices

● Complétez les phrases suivantes :

Tout le monde se plaignait qu'il y avait trop de travail et personne n'osait le dire. J'ai pris ......

Des gamins escaladaient mon mur. Je n'ai fait ......, j'ai foncé sur eux en leur criant de descendre.

Jamais une seconde de détente, on est sans arrêt ......

Toute l'année, il n'a rien fait. Et maintenant que l'examen approche, il met ......

J'ai beau lui dire non pour ce voyage en Grèce avec des copains, tous les jours il ......

J'ai pris ...... pour lui annoncer que j'étais rentré dans un mur avec sa nouvelle voiture.

Quand on le questionne sur ces terrains au bord de la mer, il détourne la conversation, il doit y avoir ......

Un petit détail m'a mis ......, c'est ainsi que j'ai découvert le coupable.

● Dans chacune de ces phrases, choisissez la locution qui correspond au passage en italique :

Si tu crois que je vais aller à cette réunion, *j'ai d'autres choses à faire* (s'en laver les mains, avoir d'autres chats à fouetter, se faire tirer l'oreille).

Chaque fois que je lui parle de sa fille qui voudrait continuer ses études, *il fait semblant de ne pas m'entendre* (faire la sourde oreille, s'en moquer comme de l'an quarante, regarder les choses en face).

Qu'elle l'épouse ou non, *cela me laisse complètement indifférent* (se croiser les bras, rester sur ses gardes, ne faire ni chaud ni froid).

● Répondez en utilisant la locution qui vous paraît convenir :

Vous avez eu beaucoup de mal à obtenir de votre supérieur un aménagement dans votre temps de travail. Un collègue vous demande si ça a été facile. Que lui répondez-vous ! ......

On veut vous mêler à une affaire qui ne vous intéresse absolument pas. Que répondez-vous à ceux qui vous demandent d'intervenir ? ......

Vous avez été absent pendant une assez longue période. Votre supérieur s'inquiète du retard accumulé dans votre travail. Vous le rassurez. Que lui direz-vous ? ......

Hostilité / conflits

1 Hostilité, méfiance

Se méfier de quelqu'un, le surveiller, c'est l'
avoir à l'œil *(fam.)*.

Ne pas pouvoir supporter quelqu'un, c'est
ne pas pouvoir le voir / le sentir.

Se mettre à détester quelqu'un, ne plus pouvoir le supporter, c'est le
prendre en grippe.

Une personne qui énerve est une personne qui
tape sur les nerfs *(fam.)*.

Être particulièrement détesté de quelqu'un, c'est
être sa bête noire.

Se faire, sans vraiment le vouloir, l'ennemi de quelqu'un, c'est
se le mettre à dos.

Garder rancune à quelqu'un, c'est
avoir une dent contre quelqu'un, lui garder un chien de sa chienne.

Garder souvenir de quelque chose que l'on n'admet pas, que l'on ne supporte pas, c'est avoir quelque chose qui vous
reste sur l'estomac *(fam.)*, **en travers de la gorge.**

Inversement, tout oublier, c'est
passer l'éponge *(fam.)*, **faire table rase, repartir à zéro.**

Regarder quelqu'un de façon hostile, c'est
le regarder de travers, le fusiller du regard, lui jeter / lancer un regard noir.

Se regarder avec une froideur qui dénote de l'hostilité, c'est
se regarder en chiens de faïence.

2 Conflits

Se mettre brutalement en colère, c'est
prendre la mouche.

Devant quelqu'un qui s'emporte brusquement, sans raison apparente, on se pose la question :
quelle mouche le pique ?

Se mettre très rapidement en colère, c'est
avoir la moutarde qui monte au nez.

Lorsque ça va très mal entre deux personnes, on dit que
le torchon brûle *(fam.)*.

Se mettre brutalement en colère, de façon très violente, c'est

sortir / être hors de ses gonds, monter sur ses grands chevaux.

Être en conflit avec quelqu'un, c'est — avoir maille à partir avec lui.

Se disputer, c'est — avoir une prise de bec.

Ne pas se laisser faire, c'est — ne pas se laisser marcher sur les pieds *(fam.)*.

S'en prendre à quelqu'un, se mettre en colère après lui, c'est lui

dire son fait,
dire deux mots,
donner de ses nouvelles,
sonner les cloches *(fam.)*,
administrer une volée de bois vert.

L'emporter sur quelqu'un qui s'était dressé contre vous, c'est le — remettre à sa place.

Réussir à vaincre quelqu'un, c'est lui — faire mordre la poussière.

Être vaincu, c'est — mordre la poussière.

Atteindre le point faible de l'adversaire, c'est — faire mouche.

Manifester à quelqu'un les marques du plus profond mépris, c'est le — traîner plus bas que terre.

Partir avec une allure de vaincu, c'est — partir la queue basse / entre les jambes *(fam.)*.

Être obligé de supporter une humiliation, c'est — avaler une couleuvre.

Lectures

Humour

Ma femme est d'une timidité !... Moi aussi... je suis timide !... Quand on s'est connus, ma femme et moi... On était tellement timides tous les deux... qu'on n'osait pas se regarder !
Maintenant, on ne peut plus se voir !

Raymond Devos, Sens dessus dessous, Stock

Qu'on puisse comparer un directeur de l'EDF à Hitler a mis Philippe Curval dans une belle colère

Volée de bois vert pour écologistes sans nuances

Jean-Pierre FUERI

DEUX livres surprenants viennent de paraître. L'un dénonce l'urbanisation forcenée de Paris, l'autre administre une volée de bois vert aux écologistes adversaires acharnés du nucléaire et partisans d'un retour à la terre mythique.

France-Soir, 16 octobre 1979

Exercices

● Complétez les phrases suivantes :

Cessons de nous disputer, passons ..... et repartons ......

Ah non ! toutes les horreurs que tu m'a dites me sont restées ......

N'essaie pas de jouer au lieu de faire ton travail, je t'ai ......

Cette fille est antipathique, je ne peux pas ......

Vous entendez ces cris et cette dispute chez les voisins. Une fois de plus, le ......

S'il revient voir ma fille après ce qu'il lui a fait, je vais lui ......

En remarquant qu'elle avait sa robe de l'an dernier, je l'ai vexée ! Elle est furieuse ! Avec elle, je fais ..... à tous les coups.

Ce n'est pas la peine de monter ..... parce que je te dis qu'une fois encore je dînerai dehors !

Comment ? Ta fille a encore eu zéro en math ? Je m'en vais lui ......

Mais pour qui se prend-il celui-là, pour me parler sur ce ton ? Je m'en vais ....., ce sera vite fait.

● Répondez en utilisant l'expression qui vous paraît convenir :

Votre ami vous a joué un mauvais tour que vous ne lui pardonnez pas. Que direz-vous à son sujet ? ......

Dans une réunion, vous constatez que deux de vos collègues se regardent peu aimablement. Que direz-vous à votre voisin ? ......

Vous vous êtes disputé(e) avec votre femme / votre mari. Finalement vous regrettez tout ce que vous avez dit. Vous voulez que tout soit oublié. Que direz-vous alors à votre femme / mari ? ......

Votre patron fait venir un employé dans son bureau et vous entendez des éclats de voix. Que direz-vous à la personne qui est avec vous ? ......

Tromperies / erreurs

1   Tromper

Tromper quelqu'un, c'est le
Faire patienter quelqu'un par des promesses que l'on ne tiendra pas, c'est

mener en bateau,

le faire marcher *(fam.)*.
lui tenir / le laisser le bec dans l'eau.

2   Être trompé, se tromper

Se trompé, c'est

Se tromper, c'est

se mettre / se fourrer le doigt dans l'œil *(fam.)*,
faire fausse route.

Être la seule victime de la tromperie, c'est

être le dindon de la farce.

3   Pièges

Se laisser prendre à un piège, c'est
Tomber dans un piège, c'est aussi
D'une situation qui a été montée exprès pour vous faire tomber dans un piège, on dira que c'est
Aller droit dans un piège, c'est

tomber / donner dans le panneau.
se fourrer / tomber dans un guêpier.

un coup monté.
se jeter dans la gueule du loup.

4   Allures

D'une chose qui semble bizarre, anormale, on dira qu'elle
Ne pas être net, franc, c'est
Ne pas montrer ce que l'on a l'intention de faire, c'est
Ne pas se laisser tromper facilement, avoir l'expérience des choses, c'est

n'a pas l'air catholique.
avoir l'air mi-figue, mi-raisin.

cacher son jeu.

ne pas être né d'hier / de la dernière pluie.

5   Crédulité, certitudes

Quand on est certain de quelque chose, on est prêt à	**mettre sa main au feu.**
Croire de façon absolue à quelque chose, c'est y	**croire dur comme fer.**
Accepter pour vrai, en toute confiance, ce que l'on dit, c'est le	**prendre pour argent comptant.**
Obéir aux ordres, aux consignes sans la moindre discussion, c'est les	**prendre au pied de la lettre.**
Une histoire trop invraisemblable pour qu'on puisse y croire est	**cousue de fil blanc.**

Exercices

● Dans chacune de ces phrases, trouvez la locution qui correspond au passage imprimé en italique :

Ah, mais je ne vais pas me laisser faire ! Ils vont voir, *je ne suis pas quelqu'un que l'on peut tromper comme ça.*

Toutes ces promesses sont trop belles. *Il y a là quelque chose de bizarre.*

Je croyais qu'il lui laisserait la maison et il l'a donnée à des œuvres charitables. *Je me suis vraiment trompé.*

Ne l'écoute pas. Il te raconte des blagues et *tu le crois à chaque fois.*

Sais-tu qu'elle a perdu son poste bêtement ? Mais *c'était fait exprès !*

Prends la porte ! Mais que fais-tu ? Pourquoi la soulève-tu ? Mais *j'obéis fidèlement à tes ordres !*

● Répondez en utilisant la locution qui vous paraît convenir :

Votre fille / votre fils vous raconte une histoire invraisemblable pour expliquer un retour à la maison fort tardif. Qu'allez-vous lui dire ? ......

Par la faute de personnes plus habiles que vous et pas forcément bien intentionnées, vous vous retrouvez plongé dans toutes sortes d'ennuis. Que vous dira un ami ? ......

Par ruse, on vous fait réaliser une opération que vous ne vouliez pas faire. Vous vous en apercevez trop tard. Vous vous en expliquez auprès d'un ami. Que lui direz-vous ?

De promesse en promesse, on vous fait traîner depuis un an sans résultat. On vous demande de patienter encore. Que direz-vous alors ?

Obéissance / contrainte

1 Obéir, se soumettre

Obéir, faire preuve de docilité, c'est **filer doux.**

Obéir aveuglément, respecter la moindre consigne sans discuter, c'est **obéir au doigt et à l'œil.**

Ne pas avoir le choix, être obligé de faire quelque chose, c'est **avoir le couteau sur / sous la gorge.**

Obéir sans chercher à interpréter les ordres, les consignes, c'est les **prendre au pied de la lettre.**

Reconnaître ses torts, réintégrer le droit chemin, c'est **faire amende honorable.**

2 Soumettre, contraindre

Faire faire à quelqu'un tout ce qu'on veut, c'est le **mener par le bout du nez.**

Mener les gens de façon sévère, sans tolérer le moindre écart, c'est les **mener / conduire / faire marcher à la baguette.**

Obliger quelqu'un à faire ce qu'on attend de lui, sans lui laisser d'autres possibilités d'action, c'est lui **mettre le couteau sur / sous la gorge.**

Obliger quelqu'un à prendre enfin une décision, c'est le **mettre au pied du mur.**

Avoir des moyens de pression sur quelqu'un pour l'obliger à faire ce qu'on veut, c'est **avoir barre sur quelqu'un.**

Exercices

● Complétez les phrases suivantes :

Mais comment voulez-vous que je fasse? Je suis obligé de payer cette rançon. Ils m'ont mis ......

Sa femme est maligne, avec des mines et des sourires, elle le ......
Il a été obligé de lui céder. Il avait ..... depuis les dernières élections.

Mon chien est remarquable, docile, intelligent, il obéit ......

Tâche de ..... sinon c'est le cachot qui t'attend !

● Répondez en utilisant la locution qui vous paraît convenir :

Votre sœur est énergique. Elle dirige maison, mari et enfant de main de maître. Que direz-vous de sa façon d'agir? ......

Votre chien est turbulent et vous contemplez avec envie celui de votre voisin qui est merveilleusement dressé. Que direz-vous à son maître?

Inutilité / échec

Payer, régler les dommages pour quelqu'un d'autre, c'est

payer les pots cassés.

Travailler, agir sans le vouloir dans l'intérêt de quelqu'un d'autre et ne rien garder pour soi, c'est

tirer les marrons du feu,
travailler pour le roi de Prusse.

Avoir agi, sans avoir pu en retirer le moindre profit, c'est avoir travaillé, agi

pour des prunes *(fam.)*.

Se retrouver dans la même situation qu'au départ, comme si l'on n'avait rien fait, c'est

se retrouver Gros-Jean comme devant.

Une action inutile, c'est

un coup d'épée dans l'eau.

D'une action qui ne vous rapportera strictement rien, on dit que

ça vous fait une belle jambe *(fam.)*.

D'une action qui ne changera presque rien, qui est manifestement insuffisante, on dit qu'il s'agit d'

une goutte d'eau à la mer.

Regretter vivement d'avoir fait quelque chose, c'est

s'en mordre les doigts.

Lectures

Dans la presse :
Chaque jour, par le télex de l'ambassade (de France au Népal) partent des messages de détresse. Dans la plupart des cas, papa-maman alertés envoient l'argent réclamé dans l'espoir d'un retour qui se fera attendre longtemps. Dans les cas graves, assez souvent, on organise des rapatriements sanitaires en catastrophe. Mais il arrive que ces fantômes titubants qu'on renvoie vers la France reprennent la « route » passé quelques mois et resurgissent un beau matin sur Freak's Street. Gros-Jean comme devant...

J.C. Guillebaud, *Le Monde*, 14 août 1979

La démolition des entrepôts de Bercy

a commencé

Et si l'on s'en mordait les doigts ?

Le Monde, 12 septembre 1979

Exercices

● Complétez les phrases suivantes :

Manifester avec les autres ? Ça me fera ......! Ce n'est pas cela qui fera augmenter mon salaire.

J'ai tapé à toutes les portes, j'ai fait signer une pétition, j'ai écrit au ministre et finalement, je me suis retrouvé ....

Je n'aurais pas dû les présenter, maintenant il m'a laissé tomber pour elle. Je ....

Il a fait toutes recherches, il lui a tiré ...... et c'est l'autre qui a été félicité.

Inutile de faire grève, ça ne servira à rien, ce sera ....

● Répondez en utilisant l'expression qui vous paraît convenir :

Votre ami en vacances chez vous a fait exploser le chauffe-bain, occasionnant de gros dégâts et se blessant par la même occasion. On veut vous tenir pour responsable. Que répondrez-vous ? ....

Aide / solidarité / confiance

1   Aide

Aider quelqu'un à sortir d'une situation
délicate, c'est le

tirer d'affaire,
tirer / sortir d'un mauvais pas.

Tout faire pour aider quelqu'un, c'est
se mettre en quatre.

Être particulièrement dévoué à quelqu'un,
c'est lui
être dévoué corps et âme.

Délivrer quelqu'un d'une préoccupation,
d'un souci grave, c'est lui
retirer une épine du pied.

Protéger quelqu'un, c'est le
prendre sous son aile.

Être la personne de confiance de quelqu'un,
c'est être
son bras droit,
son âme damnée *(péj.)*.

Celui qui conseille en secret un personnage
important, c'est son
éminence grise.

Être reconnaissant de l'aide apportée par
quelqu'un, c'est lui
devoir une fière chandelle.

De l'homme qui sert de prête-nom dans des
affaires plus ou moins honnêtes, on dira
que c'est
un homme de paille.

2   Confiance

Faire une promesse de façon certaine, c'est
donner sa parole.

Tenir une promesse, c'est
tenir sa parole.

Promettre, affirmer quelque chose avec la
plus grande sincérité, c'est le faire
la main sur le cœur.

Deux personnes qui agissent avec la plus
totale confiance l'une dans l'autre, sont
deux personnes qui
agissent la main dans la main.

Affirmer clairement ce que l'on a l'intention
de faire, c'est
jouer cartes sur table.

3   Solidarité

Se rassembler pour affronter ensemble un obstacle, c'est

(se) serrer les coudes / serrer les rangs.

Rendre à quelqu'un un service en rappel d'un service déjà rendu, c'est

renvoyer l'ascenseur *(péj.)*

D'une personne généreuse, toujours prête à aider les autres, on dira d'elle qu'elle a

**un cœur d'or,
le cœur sur la main.**

Lectures

Dans la presse :

PARIDOC

Les adhérents serrent les coudes

Les Docks de France rachètent la majorité du capital de Cofradel « en réaction contre une prise de participation qui mettait en péril notre solidarité au sein du groupe Paridoc », commente-t-on au siège de Cofradel.

Le Nouvel Économiste, 25 août 1979

Humour :
Certaines gens donnent leur parole et ne la tiennent pas ; comment voulez-vous qu'ils la tiennent, puisqu'ils l'ont donnée ?

Pierre Dac, *Les Pensées,* Éd. du Cherche-Midi

Exercices

• Complétez les phrases suivantes :

Il s'agit de ....., si on veut obtenir un résultat positif à nos revendications.

Elle se dévoue pour tous les gens du quartier, les vieux, les pauvres. Elle a vraiment ......

Une fois, j'ai eu une fin de mois difficile, il m'a prêté tout de suite de l'argent, il m'a ......

Tu m'as retiré ..... en convaincant l'assurance de ma bonne foi.

Il a fait racheter tous les terrains pour une bouchée de pain par son ......

Allons, jouons ....., que me proposez-vous en échange de mon silence ?

Désormais, nous ..... pour la prospérité de nos deux pays.

• Complétez par l'expression qui vous paraît convenir :

Vous êtes à la plage. Vous vous baignez, mais vous vous éloignez du rivage et vous êtes emporté par le courant. Un homme vous sauve de justesse. Que lui direz-vous ?

Vous avez prêté de l'argent à quelqu'un qui vous a promis de le rembourser un mois après. A la date convenue, il vous le rend. Que répondrez-vous alors à un ami qui s'inquiétait d'un tel prêt ?

Façons d'agir

1   Autonomie

Agir seul, à part, en se distinguant bien des autres, c'est **faire cavalier seul.**

Prendre seul ses décisions, mener un projet à bien, seul, c'est **mener / conduire seul sa barque.**

N'avoir plus besoin de personne, c'est **voler de ses propres ailes.**

Ne disposer de rien au départ, c'est **partir de rien / de zéro.**

2   Habileté, aisance

Se sortir habilement d'une situation délicate, c'est **tirer son épingle du jeu.**

Savoir parfaitement ce qu'il faut faire, c'est savoir **mener / conduire sa barque.**

Savoir se tirer d'affaire, même dans les plus mauvaises situations, c'est savoir **retomber sur ses jambes / ses pieds.**

Quand quelque chose est facile à faire, on dit que
**c'est un jeu d'enfant,
ce n'est pas sorcier** *(fam.),*
on le fait les doigts dans le nez *(fam.)*
dans un fauteuil *(fam.).*

3   Précautions

Disposer de plusieurs solutions, de plusieurs moyens de réussir, c'est **avoir plusieurs cordes à son arc,**

Faire attention à garder une solution en réserve, c'est **avoir plusieurs fers au feu.
garder une porte de sortie.**

Prendre des précautions, faire attention, c'est **mettre/prendre des gants.**

4   Maladresses

Prendre les choses à l'envers, c'est	**mettre la charrue avant les bœufs.**
Être complètement à côté du problème, de la question, c'est	**être à côté de la plaque.**
Reculer devant l'adversaire, perdre le contrôle de la situation, c'est	**perdre pied.**
Vouloir faire deux choses en même temps au risque d'échouer, c'est	**courir deux lièvres à la fois.**
Donner sans le vouloir des avantages à son adversaire, c'est	**donner le bâton pour se faire battre.**

5   Détermination

Recourir à toutes sortes de moyens pour réussir, c'est	**faire flèche de tout bois.**

6   Brusquerie

Être plein d'ardeur, c'est	**être tout feu tout flamme.**
Se mettre en colère très brutalement et se calmer aussi vite, c'est	**être soupe au lait.**
Agir brusquement, sans la moindre précaution, sans prévenir, c'est agir	**de but en blanc.**
Agir sur une décision soudaine, c'est agir	**sur un coup de tête.**
Agir immédiatement, c'est agir	**sur le champ.**
Réagir à la moindre sollicitation, c'est agir	**pour un oui, ou pour un non.**

Lectures

Dans la presse :
Apparemment, l'attaque fait mouche. Car, à peine rentré de ses vacances à Loudun, M. René Monory a fait flèche de tout bois pour défendre sa politique. « Pas question, rétorque-t-il, de revenir sur la libération des prix industriels, qui s'est révélée non inflationniste. Mais, concède-t-il, pour le moment, les prix du commerce et des services ne seront pas libérés. »

Le Nouvel Économiste, 27 août 1979

Humour

Un homme parti de rien pour ne pas arriver à grand-chose n'a de merci à dire à personne.

Pierre Dac, *L'Os à moëlle*, Julliard

Dans la presse :

D'après ce que vous savez maintenant et d'après la lecture du début de cet article, que peut bien signifier ce titre ?

Plaisirs de la table

DANS LA PLAQUE...

LEROUX, Pierre, socialiste français (1797-1871), a sa rue dans le 7ᵉ arrondissement. Celle-ci, mentionnée en 1672 s'appelait alors la rue Traverse. On y trouve de beaux escaliers au 25 et au 27, de vieilles maisons et, au 4, le restaurant *R. Conticini* (tél. : 306-99-39). Il vient d'ouvrir, tout neuf et pimpant, élégant aussi. Si le foie gras (à la façon du patron et chef) est fort bon, je lui préfère encore la terrine de joue de bœuf au coulis de champignons ; si le flan de roussette aux écrevisses est subtil, je le laisse pour l'aileron de raie au beurre de framboise ; si le blanc de volaille à la purée de piment doux est bien intéressant, je choisis néanmoins, le navarin d'agneau à l'ancienne. Et délaissant les desserts (pourtant remarquables) pour ne pas faire monter l'addition, je me contenterai des fromages du plateau (15 F — l'escalade fromagère devient démente : 25 F au *Nikko* et au *Bristol !*). Et M. Conticini sait choisir des vins raisonnables et de bons fournisseurs : un côte du Rhône de Jaboulet à 27 F, un graves de Coste à 32 F.

De sorte que, même sans choisir le menu conseillé (95 F), on peut merveilleusement dîner ici pour 120 F. J'en connais qui, dans ce cadre et avec cette cuisine, vous assassineraient d'une addition du double !

George V, roi de Grande-Bretagne (1895-1936), a son avenue dans le 8ᵉ arrondissement, nul n'en ignore. Et nul gourmet non plus n'ignore *le Vieux Berlin*, au 32 de l'avenue (téléphone : 720-88-96) prix Marco - Polo - Casanova 1977.

La Reynière, *Le Monde,* 13 octobre 1979

Exercices

● Complétez les phrases suivantes :

Pour convaincre les acheteurs, il est prêt à ......

Quelle ......, il crie et deux minutes après, il a tout oublié.

En début d'année, il est toujours plein d'enthousiasme, il est ......, mais très vite, ça se refroidit.

Ne mets pas ......, passe d'abord ton examen, on verra pour la moto par la suite.

Depuis que son mari est mort, elle s'occupe de tout et réussit en définitive très bien à ......

L'entreprise était en faillite, mais le chef de service l'avait prévu, il a su ......

Ne t'inquiète pas pour lui, il se débrouille toujours pour ......

Heureusement qu'il avait ......, car dans sa branche, il n'y avait plus de débouchés.

Devant les questions pressantes des policiers, le jeune homme ...... et avoua tout ce qu'on voulut bien lui faire avouer.

Je n'ai pas pris ...... pour lui dire ce que je pensais d'elle et de sa façon d'agir.

Il faut bien que les enfants se mettent un jour à ...... On ne peut pas toujours être derrière eux.

Divers

1   Illogisme

D'un raisonnement mal fait, d'une explication qui ne s'appuie sur rien de solide, on dit que

Une histoire embrouillée, incompréhensible est une histoire qui n'a

Une histoire invraisemblable est

ça ne tient pas debout.

ni queue, ni tête.
une histoire à dormir debout.

2   Rigueur

Démontrer, prouver de façon rigoureuse, c'est

Développer un point de vue de façon construite, rigoureuse, c'est

prouver par A plus B.

faire une démonstration / un discours / un topo _(fam.)_ en trois points.

3   Extension

Un phénomène qui se développe est un phénomène qui

fait boule de neige, gagne du terrain, fait tache d'huile.

Dans la presse :

Côte d'Azur : une pratique banalisée

Sur les bords de la Méditerranée, les seins nus sont entrés dans les mœurs et la pratique du nudisme gagne du terrain

Le Matin, 21 août 1979

4   Incompréhension

Ne pas savoir et demander immédiatement
la réponse, refuser de chercher plus avant,
c'est   **donner sa langue au chat.**
Ne rien comprendre à quelque chose, c'est
dire à son propos que c'est   **de l'hébreu, du chinois.**
Donner à deviner, c'est   **donner en mille.**

5   Connaissance

Savoir quelque chose parfaitement, c'est le   **savoir par cœur,**
                                                 savoir sur le bout des doigts.

D'une situation particulièrement confuse,
dans laquelle on ne parvient pas à se retrou-
ver, on dit qu'   **une chatte n'y retrouverait pas ses**
                                                 petits *(fam.).*

Quand on est pris dans une situation qui va
en s'aggravant, on dira qu'il s'agit d'   **un cercle vicieux.**

Dans la presse :

Le IXe congrès européen de thérapie comportementale

Dénouer le cercle vicieux de l'angoisse

6   Curiosité

— Vouloir à tout prix savoir, c'est vouloir   **en avoir le cœur net,**
                                                 savoir ce que telle personne a dans le
                                                 ventre *(fam.)*

7   Identité / différence

De deux choses identiques, différentes seu-
lement en apparence, on dira que c'est   **blanc bonnet et bonnet blanc.**
Ne pas faire de différence, c'est   **mettre dans le même sac** *(péj.).*
De deux choses, deux personnes très diffé-
rentes, on dit que c'est   **le jour et la nuit.**
Faire la distinction entre les choses ou les
gens, c'est   **séparer le bon grain de l'ivraie,**
                                                 ne pas mélanger les torchons et les
                                                 serviettes *(fam.).*

8   Inconvénient

Considérer aussi l'inconvénient d'une situation, d'une solution, c'est prendre en compte

le revers de la médaille.

D'une solution qui peut aussi apporter des problèmes, présenter des difficultés, on dit que c'est

une arme à double tranchant.

9   Expérience

Accumuler une expérience, tirer une leçon de quelque chose, c'est   **en prendre de la graine.**

Avoir de l'expérience, savoir les choses, c'est   **être payé pour le savoir.**

10   Conciliation

Essayer de limiter les dégâts, c'est   **sauver les meubles** *(fam.)*.

Parvenir à s'entendre par des concessions mutuelles, c'est   **couper la poire en deux.**

Ménager deux partis opposés, c'est   **ménager la chèvre et le chou.**

Devenir, par suite de l'âge ou de l'expérience, plus conciliant, c'est   **mettre de l'eau dans son vin** *(fam.)*.

Admettre certaines choses, c'est   **faire la part du feu / des choses.**

Cesser les hostilités, c'est   **montrer / faire patte de velours.**

11   Quiétude

Ne pas s'inquiéter, être sûr de son sort, c'est   **dormir sur ses deux oreilles.**

Profiter en toute tranquillité des avantages acquis à force de travail, c'est   **se reposer sur ses lauriers.**

Examiner quelque chose en toute tranquillité, c'est   **agir à tête reposée.**

12   Étonnement

Prendre soudain conscience d'une situation, c'est   **tomber des nues.**

Être particulièrement surpris par quelque chose, c'est   **en avoir le souffle coupé.**

De quelqu'un qui a été terriblement surpris
par quelque chose, on dit que   **les bras lui en sont tombés.**

13   Admiration

De quelque chose de particulièrement beau,
on dit que   **c'est à se mettre à genoux.**
Éprouver pour quelqu'un, quelque chose,
une très grande admiration, c'est le / la   **porter aux nues.**

14   Malhonnêteté

S'emparer malhonnêtement de quelque
chose, c'est   **faire main basse dessus.**
Être pris en train de commettre une mau-
vaise action, c'est   **être pris la main dans le sac.**

Dans la presse :

OPERA DE PARIS
Main basse sur les costumes

Les huit cents costumes de scène de l'opéra de Paris, d'une valeur de deux millions de francs, ont été volés, apprenait-on hier matin de source policière.

Le chef du service intérieur de l'opéra avait constaté lundi après-midi que le vestiaire installé au cinquième étage du palais Garnier, où sont conservés les costumes de scène, avait été cambriolé, vraisemblablement durant le wesk-end dernier. Des malfaiteurs ont réussi, à l'aide d'un levier, à forcer le pène d'une armoire de type « compactus », libérant ainsi les portes des 26 autres armoires du vestiaire aménagé dans une galerie de trente mètres de long. Ces armoires renfermaient le stock des huit cents costumes d'une valeur moyenne de 2 à 3.000 F. Au total donc, deux millions de francs environ, selon une source autorisée. Les cambrioleurs ont tout emporté.

Var-Matin, 17 octobre 1979

15   Crainte

Avoir très peur, c'est   **avoir une peur bleue.**
Quelqu'un ou quelque chose qui fait peur   **donne la chair de poule.**

Quand on ne voit personne, on dira qu'   **il n'y a pas un chat,
on ne voit pas âme qui vive.**

Exercices

● Complétez les phrases suivantes :

Bon, vous voulez 100 francs pour cette couverture tissée, moi je vous en proposais 80, coupons ..... et faisons affaire à 90 francs.

Les policiers ont pu parvenir à temps à la bijouterie et ont pris le voleur ......

Évidemment, c'est une situation intéressante et bien payée, mais il y a aussi le ....., l'éloignement, les horaires mal commodes.

Dites donc, vous n'allez pas inviter les garçons de bureau à la réception chez le P.D.G., on ne ......

Ces deux sœurs sont vraiment différentes. Entre elles, c'est le ......

Alors, tu as bien appris ta leçon d'histoire ? Oui, je la sais ......

Avant, il était féroce en affaire. Mais en vieillissant, il a mis ......

Je suis désolé, mais je ne peux pas vous donner de réponse immédiate. Je vais revoir votre dossier à ...... Téléphonez-moi demain.

Quand j'ai vu la maison cambriolée, les meubles renversés, le linge éparpillé, les bras......

● Répondez en utilisant l'expression qui vous paraît convenir :

Vous êtes amateur de peinture et vous voyez une toile absolument extraordinaire. Que direz-vous en la voyant ? ......

Un ami vous raconte une histoire qui vous paraît parfaitement invraisemblable. Que lui direz-vous ? ......

Comme...

Parmi les expressions les plus couramment utilisées, on retiendra encore celles qui, au moyen de « comme » introduisent une comparaison destinée à caractériser un état, un comportement ou une action.

Ces comparaisons toutes faites, en ce sens qu'elles nous sont données par un usage souvent fort ancien de la langue, font partie de ces « façons de parler » qui marquent le passage à une pratique du français plus authentique, plus naturelle.

1

D'une personne peu accueillante, peu aimable, on dit qu'elle est — **aimable comme une porte de prison.**

De quelqu'un qui parle beaucoup, on dit qu'il est — **bavard comme une pie.**

D'un homme d'une grande beauté, on dit qu'il est — **beau comme un dieu.**

De quelqu'un qui a été soupçonné à tort de quelque chose et qui, après enquête, se révèle parfaitement innocent, on dit qu'il est — **blanc comme neige.**

D'une personne particulièrement pâle, on dit qu'elle est — **blanche comme un linge.**

D'un enfant d'une personne particulièrement blonde, on dit qu'il (elle) est — **blond comme les blés.**

De quelque chose qui est parfaitement clair, évident, on dit que c'est — **clair comme le jour / de l'eau de roche**

D'une personne très connue, on dira qu'elle est — **connue comme le loup blanc.**

De quelqu'un de particulièrement doux, pacifique, on dit qu'il est — **doux comme un agneau.**

D'une personne qui se tient toujours très droite, on dit qu'elle se tient — **droite comme un *i*.**

avec une nuance critique, on pourra aussi dire qu'elle se tient — **raide comme la justice / un piquet**

De quelque chose de très dur, on dira que c'est — **dur comme du bois.**

De quelque chose de fort ennuyeux, on dit que c'est — **ennuyeux comme la pluie.**

De quelqu'un qui n'a absolument pas d'argent, on dit qu'il est — **fauché comme les blés** *(fam.).*

De quelqu'un qui est particulièrement fier, on dit qu'il est **fier comme Artaban.**

De quelqu'un qui est très fort, on dit qu'il est **fort comme un Turc / un bœuf.**

D'une personne qui a l'air bien reposée, on dit qu'elle est **fraîche comme une rose.**

De quelqu'un qui est doué d'une grande franchise, on dit qu'il est **franc comme l'or.**

D'une personne particulièrement gaie, on dit qu'elle est **gaie comme un pinson.**

De quelque chose de tout petit (maison, terrain, appartement...), on dit que c'est **grand comme un mouchoir de poche.**

De quelqu'un qui se porte très bien, qui est très gras, on dit qu'il est **gras comme un moine.**

D'un enfant qui est tout petit, on dit qu'il est **haut comme trois pommes.**

De quelqu'un qui se trouve particulièrement à l'aise dans la situation où il est, on dit qu'il est **heureux comme un poisson dans l'eau.**

D'une jeune femme ou d'une jeune fille particulièrement jolie, on dit qu'elle est **jolie comme un cœur.**

De quelqu'un qui est particulièrement laid, on dit qu'il est **laid comme un pou / les sept péchés capitaux.**

De quelque chose de très léger, on dit que c'est **léger comme une plume.**

De quelqu'un qui ne dépend de personne, qui est entièrement libre, on dit qu'il est **libre comme l'air.**

D'une personne très maigre, on dit qu'elle est **maigre comme un clou.**

De quelqu'un qui est très malade, on dit qu'il est **malade comme un chien.**

De quelqu'un de très malheureux, on dit qu'il est **malheureux comme les pierres.**

D'une personne fort méchante, on dit qu'elle est **méchante comme la gale, mauvaise comme une teigne.**

De quelqu'un qui ne cesse de mentir, on dit qu'il est **menteur comme un arracheur de dents.**

De quelqu'un qui ne parle pas, qui n'intervient pas dans un débat, une conversation, on dit qu'il est **muet comme une carpe.**

D'un endroit particulièrement sombre, où l'on ne voit rien, on dit qu'il y fait **noir comme dans un four.**

De quelqu'un qui est complètement nu, on dit qu'il est	**nu comme un ver / comme l'enfant qui vient de naître.**
De quelqu'un de très paresseux, on dit qu'il est	**paresseux comme une couleuvre.**
D'une personne particulièrement pauvre, on dit qu'elle est	**pauvre comme Job.**
De quelqu'un, de quelque chose qui est bien net, bien propre, on dit qu'il est	**propre comme un sou neuf.**
De quelqu'un, de quelque chose qui se déplace très vite, on dit qu'il est	**rapide comme l'éclair.**
D'une affaire qui est réglée d'avance, dont le déroulement, la fin sont parfaitement prévisibles, on dit qu'elle est	**réglée comme du papier à musique.**
D'une personne fort riche, on dit qu'elle est	**riche comme Crésus.**
D'un enfant particulièrement sage, on dit qu'il est	**sage comme une image.**
D'une personne négligée, sale, on dit qu'elle est	**sale comme un peigne.**
De quelqu'un qui est très sérieux, on dit qu'il est	**sérieux comme un pape.**
De quelqu'un qui n'entend strictement rien, on dit qu'il est	**sourd comme un pot.**
De quelqu'un de particulièrement entêté, on dit qu'il est	**têtu comme une mule.**
De quelqu'un qui ne s'inquiète pas du tout, on dit qu'il est	**tranquille comme Baptiste.**
D'une personne qui est toujours triste, d'humeur morose, on dit qu'elle est	**triste comme un bonnet de nuit.**

Dans une petite annonce :
PARTICULIERS

75. J.F. 32 a. enseignante, brune yeux bleus, dyn., indép., aimant cinéma, voile, philo., souh. renc. H. 25-45 a., gai, plein humour. Bonnets de nuit, petits bourgeois, s'abstenir. Écrire journal, réf. 1929.X

De quelque chose de très vieux, de très ancien, on dira que c'est	**vieux comme Hérode.**
De quelqu'un qui s'habille mal, on dira qu'il est	**vêtu comme quatre sous dans cinq poches.**

Lorsque tout se passe bien, sans problèmes, on dit que tout	**va comme sur des roulettes.**
Lorsqu'on est très attaché à quelqu'un, on dit qu'	**on l'aime comme un frère / une sœur.**
Lorsque quelqu'un est attendu avec impatience, qu'il est considéré comme celui qui va tout arranger, on dit qu'	**il est attendu comme le Messie.**
Lorsque quelque chose va bien à quelqu'un, on dit que	**ça lui va comme un gant.**
Lorsque quelqu'un crie très fort, on dit qu'	**il crie comme un sourd.**
Lorsqu'on croit vraiment à quelque chose, on dit qu'	**on y croit dur comme fer.**
Lorsqu'on lutte, lorsqu'on ne veut pas se laisser faire, on dit qu'	**on se débat comme un beau diable.**
Dormir très profondément, c'est	**dormir comme un loir / une souche.**
Lorsqu'on embrasse quelqu'un avec plaisir, on dit qu'	**on l'embrasse comme du bon pain**
S'entendre très bien avec quelqu'un, c'est	**s'entendre comme larrons en foire / comme cul et chemise** *(fam.).*
Connaître très bien un endroit, une région, c'est la	**connaître comme sa poche.**
Entrer quelque part sans avoir besoin ou même sans demander de permission, c'est y	**entrer comme dans un moulin.**
Partir à toute vitesse, c'est	**filer comme un zèbre.**
Fumer énormément, c'est	**fumer comme un pompier.**
Pousser des cris très violents, c'est	**hurler comme un possédé.**
Se moquer vraiment de quelque chose, c'est	**s'en moquer / fiche / foutre** *(fam.)* **comme de l'an quarante.**
Rester immobile à attendre, c'est	**être planté / rester planté comme un piquet.**
Pleurer de façon très spectaculaire, en versant beaucoup de larmes, c'est	**pleurer comme un veau / une madeleine.**
Quand deux personnes se ressemblent fortement, on dit qu'	**elles se ressemblent comme deux gouttes d'eau.**
Rire de façon spectaculaire, c'est	**rire comme un bossu.**
Taper très fort sur quelque chose, c'est	**taper comme un sourd.**
Trembler de peur, c'est	**trembler comme une feuille.**
Souffler très fort, c'est	**souffler comme un bœuf.**
Souffrir énormément, c'est	**souffrir comme un damné.**
Traiter quelqu'un très mal, c'est le	**traiter comme un chien.**

Lectures

Poésie

LIMERICK DE L'ENFANT QUI
ÉTAIT FORT COMME UN TURC
Il était une fois tout près de Bar-le-Duc
un enfant nommé Luc qu'était plus fort qu'un Turc.

Il était assez fort pour porter un viaduc.
Il était assez fort pour voler un aqueduc.

« Je suis plus fort qu'un Turc » disait l'orgueilleux Luc.
« Je suis fort comme deux Turcs » affirmait l'enfant Luc.

« Je suis fort comme trois Turcs ! » « C'est vrai » lui dit le duc,
qui connaît tous les trucs des gens de Bar-le-Duc.

Claude Roy, Enfantasques, Gallimard.

Exercices

- Complétez la phrase par la comparaison qui vous paraît convenir :

A passer vingt fois par jour dans les rues du village, tu seras bientôt
....

On voit que tu as bien dormi, ce matin tu es ....

Il est incapable de se taire plus de trente secondes. Il est ....

Et voilà ! on est à peine le 20 du mois et je suis déjà ...... ; comment vais-
je pouvoir arriver jusqu'à ma prochaine paye ?

Figurez-vous qu'il prétendait nous vendre un appartement ......, on se
cognait tout de suite aux murs et c'est tout juste si on pouvait mettre
un lit dans les chambres.

On se demande vraiment ce qu'il a pu lui trouver. Elle est .... Il est
vrai qu'elle a beaucoup d'argent.

Ça y est ! Encore une panne d'électricité ! Et pas de bougies ! Il fait ......

Inutile de ...... je t'ai très bien entendu.

- **Vous avez un ami / une amie pour lequel (laquelle) vous éprouvez
une vive admiration / de tendres sentiments.**
**Faites-en la description à l'aide des comparaisons que nous venons
d'examiner.**

PRATIQUES, JEUX, LECTURES

Dans la vie de tous les jours

Imaginez qu'un soir vous entendez des éclats de voix chez vos voisins. Vous tendez l'oreille et voici ce que vous entendez :

JEANNE   Je n'aime pas la façon dont les enfants gaspillent l'argent.

HERVÉ   Comment ? Qu'est-ce que c'est que cette histoire ?

JEANNE   On dirait qu'ils ne se rendent pas comptent de ce que représente l'argent.

HERVÉ   Ils sont tout petits, de toute façon, ils finiront bien par apprendre.

JEANNE   Non, non. Je trouve que tu les gâtes.

HERVÉ   Alors là, je ne vois vraiment pas ce qui te fait dire cela.

JEANNE   Tu leur donnes l'idée que le fric pousse sur les arbres.

HERVÉ   Et toi, avec ta collection de vases 1900, tu crois que tu donnes un bon exemple ?

JEANNE   Qu'est-ce que ma collection vient faire là-dedans ?

HERVÉ   Tiens, les enfants voient bien que tu dépenses ton argent à des bêtises, alors ils se disent qu'ils peuvent le dépenser comme ils veulent.

JEANNE   Des bêtises ? Ces vases ont beaucoup de valeur, je n'ai jamais mis un franc de trop dans un vase !

HERVÉ   N'empêche que quand tu vas au supermarché, tu reviens toujours avec des trucs dont nous n'avons pas besoin.

JEANNE   Oh dis ! Tu n'as qu'à y aller, au supermarché...

HERVÉ   Et toi, ne me dis plus que je gâte les enfants.

George Bach, *L'Ennemi intime,* Buchet-Chastel

Vous racontez à un ami l'essentiel de cette dispute, en utilisant, quand cela vous paraît convenir, des locutions

Astuces

Dans le domaine de la presse, on distingue généralement deux grandes catégories de titres :
— **les titres informatifs**, c'est-à-dire les titres qui énoncent de la façon la plus claire, la plus immédiate le contenu de l'article. Ils ne posent pas de problèmes particuliers de compréhension ;
— **les titres incitatifs**, c'est-à-dire les titres qui, au moyen d'une expression déjà connue du lecteur, ou par référence à un titre d'œuvre célèbre, doivent « accrocher » le lecteur et l'inciter (le pousser) à lire l'article.
Ces titres-là sont plus difficiles à lire car on ne peut les comprendre que par référence à une expression que l'on connaît déjà. Nous en avons déjà examiné certains. Mais la difficulté augmente quand il y a « astuce », c'est-à-dire quand le journaliste s'amuse à choisir une expression de telle manière qu'elle soit acceptable au sens figuré, mais en même temps au sens littéral, d'où un effet souvent amusant.
Soit, par exemple, le titre de l'article suivant :

ATHLÉTISME

Sur la pointe des pieds...

Le Matin de Paris, 25 août 1979

Sens figuré : La deuxième Coupe du monde d'athlétisme a débuté de façon très discrète *(sur la pointe des pieds).*
Sens littéral : Dans le programme de cette rencontre, il y a de nombreuses épreuves de course à pied (courir *sur la pointe des pieds).*
Une seule expression rassemble ces deux significations :

sur la pointe des pieds
      sens figuré
      sens littéral

ce qui est le propre de tous les jeux de mots.

Voici trois séries de titres de presse. Dans chaque série, un des deux titres comporte une « astuce ». Pouvez-vous :
a) donner le sens de chacun de ces titres ;
b) trouver le titre qui comporte une astuce ;
c) préciser l'origine de cette astuce.

Tourner mal :

LE HOLD-UP TOURNE MAL POUR LES GANGSTERS

Un horloger abat l'un des bandits qui venait de le dévaliser dans sa boutique en plein centre de Marseille

Le second maîtrisé dans la rue par des policiers

Le Provençal, 1er septembre 1979

UN SECTEUR INDUSTRIEL EN DÉCLIN ?

Le disque français tourne mal

Des hit-parades qui ressemblent à s'y méprendre au « bill board » d'outre-Atlantique, des disc-jockeys qui ne jurent que par le disco américain, des discothèques vouées au culte de l' « American sound », une chanson française qui s'étiole, des interprètes de plus en plus souvent réduits à chanter en anglais, un marché du disque toujours plus concentré dans des mains étrangères (Polygram, R.C.A., Warner, C.B.S.)... l'industrie française du phonogramme s'inquiète de son avenir. D'autant — mais ceci explique peut-être cela — que les ventes ont, dans le même temps, une fâcheuse tendance à fléchir.

Le Monde, 9 août 1979

Perdre la tête :

Un palace qui perd la tête

Ce n'est pas un palace tout à fait comme les autres. Le « Plaza-Athénée » est devenu, dans la foulée de mai 1968, un terrain d'expérience de la participation. Mais, aujourd'hui, les employés de ce palace parisien, qui bénéficient de larges avantages, se demandent si l'édifice social ne va pas voler en éclats avec la « démission » de son directeur, M. Paul Bougenaux, réclamée (en échange d'une substantielle indemnité) par le propriétaire britannique, Sir Charles Forte.

Le Nouvel Économiste, 6 août 1979

● **Mardi, les « Dossiers de l'écran » sont consacrés à « L'Immortelle » (A 2, 20 h 35)**

Comment Paris a perdu la tête pour Sarah

France-Soir, 8 août 1979

L'ARGENT

Hôtel Drouot

Les commissaires-priseurs au pied du mur

25 millions de francs : c'est **ce que** coûtera l'aménagement **du nouvel** hôtel Drouot. Une **réforme** qui pourrait bien être **financée** par la clientèle des commissaires-priseurs.

Le Nouvel Économiste, 8 octobre 1979

"Turandot" au pied du Mur

APRES LE « REQUIEM », le testament de Mozart qui a ouvert officiellement les Chorégies 79, à Orange, ce soir « Turandot », l'œuvre posthume de Puccini : la Chine, paradoxalement, faisant un mariage d'amour avec le théâtre romain. Un plateau international prestigieux : Marita Napier (qui vient de triompher aux arènes de Vérone), la digne héritière de Nilsson, Nicola Martinucci, le « filleul » de Del Monaco dont le Calaf s'annonce comme l'autre grande révélation du plateau, la « Liu » de Zylis-Gara étant l'autre voix unique de cette distribution qui vaut son pesant... d'or. Quelque trois cents personnes en scène dont les chœurs du Philharmonia de Londres, dans la fosse le nouvel orchestre philharmonique de Radio-France, Nello Santi étant le maître d'œuvre de cette fresque lyrique que Alfred Woppmann a magistralement mis en scène. — Sur notre photo : la princesse de Chine et sa cour au pied d'Auguste. (Photo Max Parpaleix, Avignon)

Le Provençal, 4 août 1979

Perrier : des profits qui coulent de source

Le Nouvel Économiste, 8 octobre 1979

Perrier est une marque française d'eau gazeuse. Pourquoi un tel titre ?

Les messages publicitaires :
Le même procédé est fréquemment utilisé dans les messages publicitaires. En voici trois. Où est l'« astuce » ?

rque de fusils de chasse

LUIGI FRANCHI DONNE LA CHAIR DE POULE

AUX CANARDS.

V.S.D., 23 août 1979

L'avenir de la construction métallique. Chez Fillod, nous y croyons. Dur comme fer.

L'Expansion, mai 1979

Pulls Petit·Bateau. Solides

contre vents et marées.

Marie-France, octobre 1979

Les bandes dessinées :

De tels procédés ne manqueront pas, bien entendu, d'être fréquemment utilisés dans la B.D. (bande dessinée). Prendre une expression habituellement utilisée au sens figuré pour la représenter dans son sens littéral est un plaisir auquel peu de dessinateurs résistent (voir p. 17 et p. 20).
Voici, par exemple, deux B.D. Dans chacune d'entre elles, essayez de trouver :
— l'expression qui a servi de point de départ à la B.D.,
— l'astuce elle-même, c'est-à-dire les éléments du dessin qui correspondent à l'expression.

« Les Aventures d'Achille-Talon », *V.S.D.,* 23 août 1979

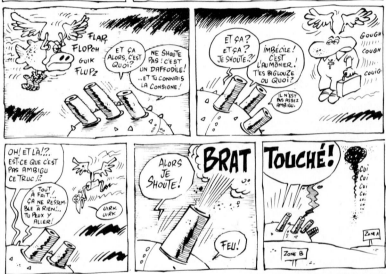

77

Ou encore, extrait de l'animalier, de Chaval :

SAVANT ASSEZ CONNU
PASSANT ENTRE CHIEN ET LOUP

L'animalier, de Chaval

Poésie :

L'ENFANT QUI BATTAIT LA CAMPAGNE

Vous me copierez deux cents fois le verbe :
Je n'écoute pas. Je bats la campagne.

Je bats la campagne, tu bats la campagne,
Il bat la campagne à coups de bâton.

La campagne ? Pourquoi la battre ?
Elle ne m'a jamais rien fait.

C'est ma seule amie, la campagne.
Je baye aux corneilles, je cours la campagne.

Il ne faut jamais battre la campagne :
On pourrait casser un nid et ses œufs.

On pourrait briser un iris, une herbe,
On pourrait fêler le cristal de l'eau.

Je n'écouterai pas la leçon.
Je ne battrai pas la campagne.   Claude Roy, *Enfantasques,* Gallimard.

Expression :
A votre tour, essayez de trouver, sur ce même principe, des slogans
publicitaires destinés à faire connaître des produits de votre pays.

A la manière de Claude Roy (« L'enfant qui battait la campagne »),
rédigez un court texte avec les expressions :

— perdre la tête, — être tout feu tout flamme,
— remuer ciel et terre, — prendre racine, etc.

Jeux de mots / calembours

Pouvez-vous retrouver des locutions déjà examinées dans ces calembours ? Le calembour consiste à dire deux choses différentes à partir de mots identiques du point de vue phonétique.

Q.   Un jour, un noble mit son lit à la verticale, soi-disant pour soigner ses amygdales...

R.   Ce récit peut vous paraître un peu fou. Mais c'était un conte (comte) à dormir debout.

Q.   Quand est-il déconseillé à un Martien de prendre sa soucoupe volante ?

R.   Lorsqu'il ne se sent pas dans son assiette.

Q.   Que devez-vous faire si vous perdez votre crayon ?

R.   Si votre crayon se taille, rattrapez-le, sinon vous aurez bonne mine.

Q.   Que risque-t-on à trop tirer la couverture à soi ?

R.   Se retrouver dans de beaux draps.

Q.   Comment finit Gelinotte, le grand cheval de course ?

R.   Misérablement, en sabots et sur la paille.

Q.   Que dit une porte à une autre porte ?

R.   Vous êtes tellement grinçante, que vous ne seriez pas longue à me faire sortir de mes gonds.

Q.   Pourquoi Richelieu fut-il un précurseur des sous-vêtements modernes ?

R.   Parce qu'il estimait que seul le port de l'Éminence grise. (*Éminence* : marque française de slips pour hommes).

d'après Daniel Hamelin, *Les Nouveaux Qui-colle-qui ?* Mangès

Ces locutions sont aussi très souvent utilisées dans les titres de films ou de romans policiers. Pouvez-vous retrouver la locution de départ dans les titres suivants :

- D'amour et de sang frais.
- Dans la gueule de l'agneau.
- A corps et à cris.
- Sauvons la farce !
- De mort et d'eau fraîche.
- Une fille cousue de fil blanc.
- Le fond de l'air est rouge.
- Au doigt et à l'œil.

Analogies

Un autre procédé, couramment utilisé, consiste à prendre une expression connue, mais à la modifier légèrement de manière à créer un effet de surprise ou un effet amusant.

Voici quelques textes, très différents d'origine (publicité, articles de journaux, poésie…). Essayez d'y retrouver à chaque fois l'expression première. Pourquoi a-t-elle été ainsi modifiée ?

Dans la presse :

Dans cet extrait d'article de « L'Express » consacré aux problèmes de consommation :

CHERCHEZ Le C.

Une grande pizzeria à Paris. Sur le menu, foie à la vénitienne. Le plat livré vous mène effectivement en gondole et pas à la fête. Quelle bête a bien pu supporter ce foie ? Le maître d'hôtel répond qu'il s'agit non pas de veau, mais de génisse. Soit, mais pourquoi cette consistance et ce goût bizarres ? « Peut-être la décongélation. — Ah ! parce que c'est du foie congelé. — Évidemment, c'est marqué. » En reprenant le menu, on voit en effet, imprimé, à côté du plat en question, un C. Mais nulle part ne figure la signification de la lettre. « Quand les clients nous la demandent, nous la donnons. » Drôle de pratique !

L'Express, 8-14 septembre 1979

Ou encore :

M. José Corti est ce terroriste doux, cet artisan obstiné qui, rue de Médicis, tient boutique de belle prose et d'anarchie. Il s'enorgueillit d'avoir édité Julien Gracq (et quelques autres) non pas contre vents et marées, mais contre épate et réclame, et de les avoir maintenus dans la fière pénombre de la qualité.

Le Point, 27 août 1979

Sur l'autoroute n° 5, la patrouille de frontière ne peut contrôler plus d'un véhicule sur cent sous peine de provoquer le plus gigantesque embouteillage des temps modernes. Le jeu continue à valoir la bougie.

L'Express, 6-12 octobre 1979

HISTOIRES D'IDIOMES :

Dans cet article, l'auteur se moque gentiment des étrangers qui éprouvent des difficultés dans l'utilisation de certaines expressions particulières à la langue française. Il fait exprès de multiplier les erreurs, mettant ainsi en évidence le caractère original de ces locutions. Pouvez-vous les retrouver dans leur formation initiale et corriger ainsi les fautes commises par Mr Taylor I.S. Rich ?

« Ce que je trouve particulièrement savoureux dans votre langue, observe Mr Taylor I.S. Rich, ce sont vos idioties — pardon, je veux dire vos idiotismes. Tenez, quand je lis dans vos journaux que tel de vos hommes politiques trotte la prétentaine...
— Court...
— Excusez-moi : court. *What is it,* au juste, la prétentaine ?
— Eh bien, dis-je, c'est une sorte de guilledou, vous voyez. Peut-être un peu moins... — enfin, en gros, le même genre, bien que le mot ne soit pas du même genre, en fait.
— Je vois. *Very funny !* C'est comme raconter une petite fleur ?
— Conter fleurette ? Plutôt un peu plus... Celui-ci a fait un stage chez vous, n'est-ce pas ?
— *Yes, sure !* Le flirt... Mais ne nous ne possédons pas tisser le parfait amour.
— Filer...
— Oh, je faute ! Heureusement que vous n'avez pas le bonnet près de la tête. Vous pourriez me chercher bruit, enfin : noise. Et ensuite, avec vos amis vous en feriez des gosiers chauds, vous fendriez du sucre sur mon échine, entre le fromage et la poire. Je serais le dindonneau farci, à mon âge, moi qui ondule déjà la quarantaine... Savez-vous ma dernière mésaventure ? Un compatriote m'avait confié un tube : il m'a dit que je pouvais visiter l'Elysée Palace.
— Je croyais qu'il y avait admittance *free* le 14 juillet seulement ?
— Oui, mais il m'assurait qu'en huilant la pince à quelqu'un... J'ai fait la patte de héron pendant plus d'une heure sur le trottoir, et les gardes me mitraillaient de leurs yeux. Moi, je me fabriquais de la chevelure. Il m'avait conduit en navire, tout simplement ! J'étais en train de retirer les châtaignes du foyer, tandis que lui, il a ôté son aiguille de la partie. Il a interprété la jeune fille de l'atmosphère. Mais rassurez-vous, maintenant que j'ai la puce à l'œil, lui, je l'ai dans les narines, et je lui garde un chiot de mon dogue. Qu'il aille se faire bouillir un œuf !
C'est bien vrai qu'il ne faut pas vendre la fourrure du plantigrade avant de l'avoir occis. Vous trouvez peut-être que j'en fais toute une

assiette, que j'ai la dent forte ? Un de ces sept matins, vous verrez, je jetterai mon pantalon aux orties. Je suis sans doute un peu potage au lait, mais on ne doit pas se promener sur mes pieds. Dorénavant, j'aurai un taureau dans la bouche. Ah ! j'ai bien peur d'avoir mangé mon pain blanc en herbe...

Enfin, mieux vaut cela que peindre des raies sur le zèbre. Et surtout que de biner son prochain.

Mais le fond de l'air est bien noir. Il faut faire vinaigrette. Il ne s'agit pas d'avoir les dix orteils dans la même chaussure. Si je ne veux pas courir à bide abattu, je dois prendre l'escampe — attendez, non : l'escampette. Qu'est-ce encore que cela ?

— Un produit qu'on n'absorbe qu'en poudre, au moment de filer... à la française.

— *Well,* au revoir, il va pleuvoir des pertuisanes...

— Vous voulez dire des chiens et des chats ?

— Oh ! mais on ne me prend pas sans *green.* J'ai mon ombrellé. »

Jean-Guichard Melli, Le Monde, 7-8 janvier 1979

CHEZ LE DOCTEUR

Voici un dialogue d'Eugène Ionesco, le célèbre auteur dramatique, tel qu'il a été conçu et proposé dans le cadre d'une méthode d'apprentissage du français (Michel Benamou, Eugène Ionesco, *Mise en train,* Première Année de français, The Mac Millan Company, 1969). Lisezle. D'après vous, est-ce un dialogue comique ou un dialogue ordinaire ?

Personnages : MARIE-JEANNE, LE DOCTEUR

MARIE-JEANNE   Bonjour, docteur.

LE DOCTEUR   Bonjour, Mademoiselle. De quoi vous plaignez-vous ?

MARIE-JEANNE   De rien. Moi, je suis optimiste. Je suis aussi journaliste. Je viens faire une enquête. Mon journal me prie de vous demander quelles sont les maladies les plus fréquentes que vous soignez. C'est pour une statistique.

LE DOCTEUR   C'est très varié. Parmi tant de malades qui viennent me voir, il y en a qui ont le cœur gros, d'autres qui ont le ventre creux, d'autres leurs jambes à leur cou. D'autres éclatent ou explosent. D'autres se tordent. Il y en a qui sont pliés en quatre. Il y en a d'autres à qui on a cassé les pieds. D'autres ont la rate dilatée. Certains n'ont plus de cœur, ils sont écœurés. D'autres ont le sang qui ne fait plus qu'un tour ; de la moutarde qui leur est montée au nez ; à d'autres, on leur a tourné la tête. Plusieurs voient rouge, ou tout en noir. Les uns ont les nerfs en boule ou à fleur de peau ; nombreux sont ceux qui ont la gueule de bois... mal aux cheveux ; il faut les leur couper en quatre. Il y a les maniaques qui tirent tout par les cheveux. Beaucoup sont sur les genoux quand ils n'ont pas le cœur brisé. D'autres sont encore pourris et corrompus. Je ne peux rien faire pour ceux qui sont crevés. Il y a les gonflés, sans compter les intouchables. Il y a ceux qui se lèvent du pied gauche, celles qui ont un pied anglais, les pieds dans le plat, les pieds de nez ; tous ceux-là doivent retomber sur leurs pieds pour repartir du bon pied. J'ai des patients qui ont du nez, d'autres qui n'en ont pas. Je soigne des personnes qui ont un poil dans la main, ou qui ont leur idée derrière la tête, ou qui la perdent, qui n'ont pas les yeux en face des trous. J'ai des malades mentaux qui ont le fou-rire, des vicieux qui lèchent les bottes, qui boivent la tasse, ou qui se font du mauvais sang, quand ils ne cassent pas leur pipe. Il y a ceux qui ont froid aux yeux et ceux qui sont tout feu tout flamme, sans compter les têtes brûlées, ceux qui sont consumés par la passion. Je reçois aussi les monstres, les faux-frères, les personnes qui versent des larmes de crocodile ou qui ont la tête de bois, un cœur de glace, un cœur de pierre, les yeux plus gros que le ventre, le cœur sur la main, une langue de vipère...

MARIE-JEANNE   Êtes-vous aussi vétérinaire ?

LE DOCTEUR   Très peu. On ne peut guérir les ânes et les chameaux. Cependant je soigne les petits rats de l'Opéra et les oies blanches.

MARIE-JEANNE   Soignez-vous les goutteux ?

LE DOCTEUR   C'est leur faute : ils boivent la goutte tous les matins. Je leur donne des gouttes.

MARIE-JEANNE   Et ceux qui n'y voient goutte ?

LE DOCTEUR   Je leur fais des transfusions car ils n'ont pas de une goutte de sang dans les veines ; je leur donne du sang froid, du sang chaud, c'est selon.

MARIE-JEANNE   Et s'il n'y a pas de donneurs de sang ?

LE DOCTEUR   On leur donne du sang de navet.

MARIE-JEANNE   Est-ce que les transfusions leur reviennent cher, à vos patients ?

LE DOCTEUR   Ça ne leur coûte que les yeux de la tête.

Eugène Ionesco, *Mise en train,* Mc. Millan

Raymond Devos, l'auteur de ce sketch (voir pp. 16, 41), adore faire rire. Lisons, par exemple, les mésaventures de ce guide de musée.
Essayez d'identifier les passages comiques et, à chaque fois, de donner les deux significations des expressions ainsi relevées. Si vous y parvenez sans problèmes, c'est que vous connaissez déjà bien la langue française!

Je devais faire visiter à une quinzaine de touristes plusieurs salles réservées aux maîtres de la peinture...
En mettant le pied sur le parquet ciré de la première salle... uitte... J'ai glissé sur plusieurs mètres!... Comme j'avais dit : « Suivez le guide », — uitte! — Tout le monde a suivi! Alors en me relevant, j'ai dit à mes clients : « On a déjà fait quinze maîtres; voyons les autres! » et uitte! on a fini la galerie. On s'est arrêté au pied d'un Goya. Ça valait la peine. Quelqu'un a dit : « C'est à se mettre à genoux! » Alors on s'est tous relevés... pour passer dans la pièce suivante. Là, j'ai dit : « Après vous, Messieurs et Dames! » et uitte!... Ils y sont tous passés... Comme j'étais payé pour ça... uitte! J'ai suivi... Je me suis dit : « Maintenant que je les ai sur le dos, je vais en profiter pour leur faire admirer les fresques du plafond... »
« Les fresques de ce plafond datent du seizième...
— Et le parquet? » cria quelqu'un.
J'ai dit :
« Pour ce qui est du parquet, nous aurons l'occasion d'y revenir dans les salles suivantes. »
Et je recommence mon laïus :
« Voyez que malgré la patine du temps...
— Pour ce qui est de la patine, ça ne vaut pas le parquet, dit un autre. »
Je dis :
« Bon! puisque le plafond n'a pas l'air de vous intéresser, je ne m'étendrai pas davantage sur le parquet! Tout le monde debout!... mains sur la tête! face au mur! (ça commençait à m'énerver).
Vous vlà. le gros, au tableau!... Citez-moi un peintre de l'école flamande?
— Breughel! cria quelqu'un d'autre... et uitte!... le gros est passé dans la pièce à côté... »
J'ai dit :
« Qui est-ce qui a soufflé?... qui est-ce qui a soufflé? »
Voyant que ça prenait cette tournure, je me suis raccroché au Rembrandt de la porte... je me suis redressé... et j'ai crié :
« On ferme! »

C'est alors que le directeur est arrivé... en courant!... faisant l'admiration de tous, car non seulement il n'est pas tombé, mais il n'est monté sur personne...

Il m'a dit :

« C'est vous qui avez crié : « On ferme? »

— Oui, Pourquoi? On ne ferme pas?

— Vous voyez l'heure?

— Oui! Mais vous voyez le tableau?

— Où sont vos clients?

— Ils sont parqués!

— ... Ça ne tient pas debout!

— Je ne vous le fais pas dire.

— Bon!... Si vous êtes malade, vous viendrez me voir après la visite. »

J'ai dit à mes clients :

« Suivez la flèche... » et uitte!... ils sont sortis ventre à terre... Alors je suis allé voir le directeur... J'ai frappé à la porte... toc!... toc!... il m'a dit : « Entrez » uitte!...

Il m'a dit :

« Vous tombez bien...

— Je vous remercie...

— Moi aussi je vous remercie!... »

Et il m'a foutu à la porte.

Raymond Devos, Ça n'a pas de sens, éd. Denoël

Index alphabétique

A

B

c

couteau	mettre / avoir le couteau sur / sous la gorge	46
	remuer le couteau dans la plaie	29
couture	examiner sous toutes ses coutures	27
Crésus	être riche comme Crésus	64
crier	crier misère	10
	crier quelque chose sur les toits	14

D

décorner	un vent à décorner les bœufs	21
défi	relever le défi	36
démonstration	faire une démonstration en trois points	57
dent	n'avoir rien à se mettre sous la dent	6
	ne pas desserrer les dents	14
	avoir la dent dure	15
	avoir une dent contre quelqu'un	40
dette	être criblé / couvert de dettes	10
diable	tirer le diable par la queue	10
	tenter le diable	33
	se débattre comme un beau diable	65
dieu	être beau comme un dieu	62
dindon	être le dindon de la farce	44
dire	dire son fait à quelqu'un	41
	dire deux mots à quelqu'un	41
	dire ses quatre vérités	14
discours	faire un discours en trois points	57
doigt	mettre le doigt sur la plaie	29
	se mettre / se fourrer le doigt dans l'œil	44
	obéir au doigt et à l'œil	46
	s'en mordre les doigts	48
	faire quelque chose les doigts dans le nez	53
	savoir quelque chose sur le bout des doigts	58
donner	donner quelque chose en mille	58
dormir	une histoire à dormir debout	57
	dormir du sommeil du juste	7
	dormir sur ses deux oreilles	7
	ne dormir que d'un œil	7
doute	laisser planer un doute	14
drap	être / se mettre dans de vilains / beaux draps	32
dur	croire à quelque chose dur comme fer	45, 65

E

échapper	l'échapper belle	25
éclair	être rapide comme l'éclair	64
éminence	être l'éminence grise de quelqu'un	50

F

G

H

I

J

meuble	sauver les meubles	59
midi	chercher midi à quatorze heures	27
moine	être gras comme un moine	69
mordre	mordre la poussière	41
mouche	quelle mouche le pique?	40
	prendre la mouche	40
	faire mouche	41
	être la mouche du coche	29
se moquer	se moquer de quelque chose comme de sa première chemise	35
	s'en moquer du tiers comme du quart	35
mouchoir	être grand comme un mouchoir de poche	65
moulin	entrer quelque part comme dans un moulin	65
	être un moulin à paroles	15
mot	glisser un mot à l'oreille	14
	peser ses mots	14
	parler à mots couverts	14
moutarde	avoir la moutarde qui monte au nez	40
mule	être têtu comme une mule	64

N

neige	blanc comme neige	62
nez	passer sous le nez	25
	mener par le bout du nez	46
	faire quelque chose les doigts dans le nez	53
né	ne pas être né de la dernière pluie / d'hier	44
nord	perdre le nord	23
nouvelle	donner de ses nouvelles	41
nues	porter aux nues quelqu'un	60
	tomber des nues	59
nuit	passer une nuit blanche	7

O

occasion	sauter sur l'occasion	25
	saisir l'occasion par les cheveux	25
œil	ne dormir que d'un œil	7
	avoir quelqu'un à l'œil	40
	obéir au doigt et à l'œil	46
oiseau	être comme l'oiseau sur la branche	32
or	être franc comme l'or	69
	rouler sur l'or	10

P

S

T

Imprimé en France — IMPRIMERIE HÉRISSEY, ÉVREUX (Eure) — Nº 52405
Dépôt légal : Nº 9764-10-1990 — Collection Nº 06 — Édition Nº 07

Under the Water

Harriet Ziefert
Pictures by Suzy Mandel

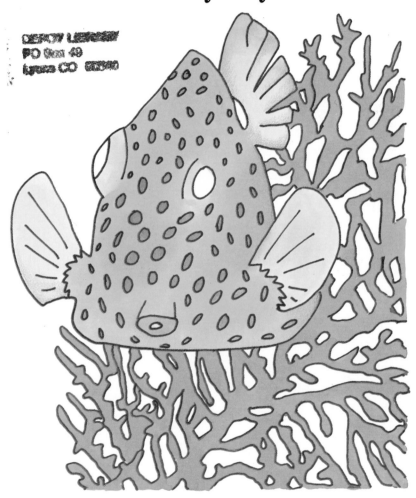

PUFFIN BOOKS

Did you know that water covers four-fifths of the globe?

More plants are under the water than above it.

Each Puffin Easy-to-Read book has a color-coded reading level to make book selection easy for parents and children. Because all children are unique in their reading development, Puffin's three levels make it easy for teachers and parents to find the right book to suit each individual child's reading readiness.

Level 1: Short, simple sentences full of word repetition—plus clear visual clues to help children take the first important steps toward reading.

Level 2: More words and longer sentences for children just beginning to read on their own.

Level 3: Lively, fast-paced text—perfect for children who are reading on their own.

"Readers aren't born, they're made.
Desire is planted—planted by
parents who work at it."

—**Jim Trelease**, author of
The Read-Aloud Handbook

For A.M.B.

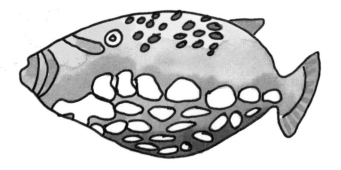

PUFFIN BOOKS
Published by the Penguin Group
Penguin Books USA Inc., 375 Hudson Street, New York, New York 10014, U.S.A.
Penguin Books Ltd, 27 Wrights Lane, London W8 5TZ, England
Penguin Books Australia Ltd, Ringwood, Victoria, Australia
Penguin Books Canada Ltd, 10 Alcorn Avenue, Toronto, Ontario, Canada M4V 3B2
Penguin Books (N.Z.) Ltd, 182–190 Wairau Road, Auckland 10, New Zealand

Penguin Books Ltd, Registered Offices: Harmondsworth, Middlesex, England

First published in the United States of America by Viking Penguin,
a division of Penguin Books USA Inc.,1990
Simultaneously published in Puffin Books
Published in a Puffin Easy-to-Read edition, 1993

10

Text copyright © Harriet Ziefert, 1990
Illustrations copyright © Suzy Mandel, 1990
All rights reserved

LIBRARY OF CONGRESS CATALOGING-IN-PUBLICATION DATA
Ziefert, Harriet.
Under the water / Harriet Ziefert;
pictures by Suzy Mandel. p. cm.—(Puffin easy-to-read)
ISBN 0-14-036535-4
1. Marine biology—Juvenile literature. 2. Marine fauna—Juvenile literature.
3. Coral reef biology—Juvenile literature.
I. Mandel, Suzy. II. Title. III. Series.
[QH91.16.Z53 1993]
574.92—dc20   92-47291   CIP   AC

Puffin® and Easy-to-Read® are registered trademarks of Penguin Books USA Inc.
Printed in the United States of America

Reading Level 2.4

More land is under the water
than above it.

More animals are under the water
than above it.

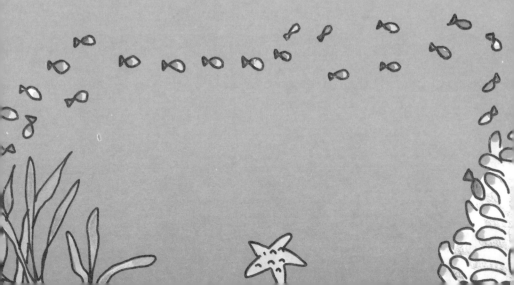

With a mask,
a pair of flippers,
and a snorkel,
we can see
what is hidden
under the water.

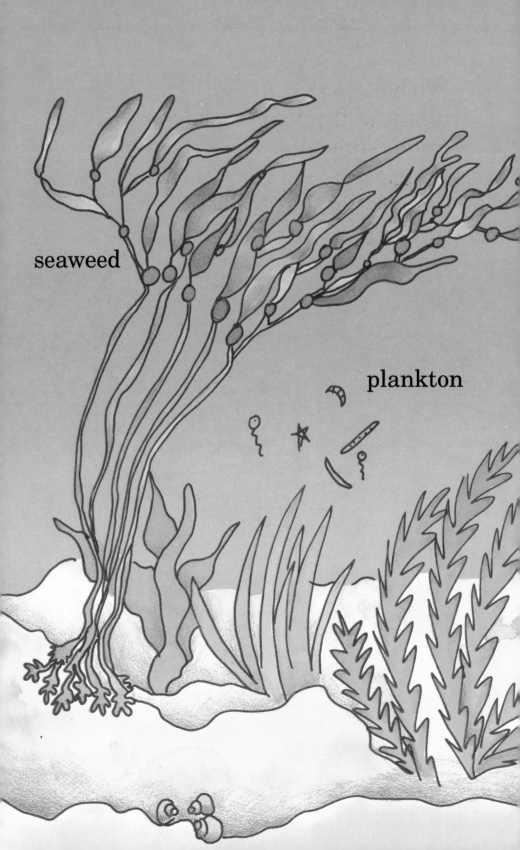

seaweed

plankton

There are lots of plants
under the water.

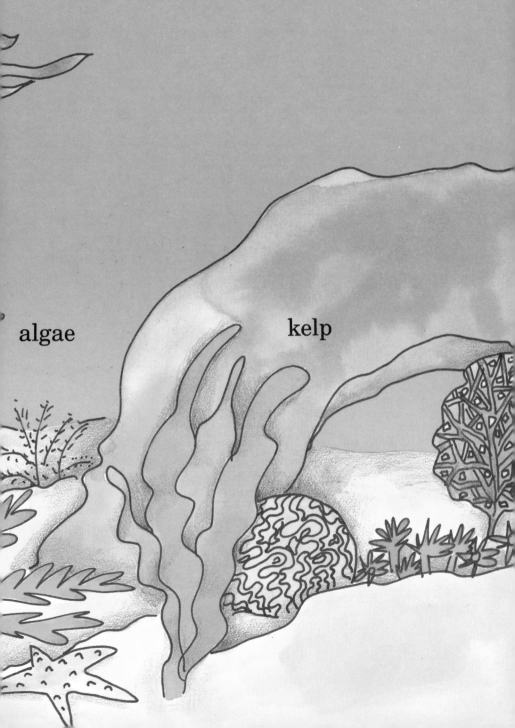

algae

kelp

There are lots of animals
under the water.

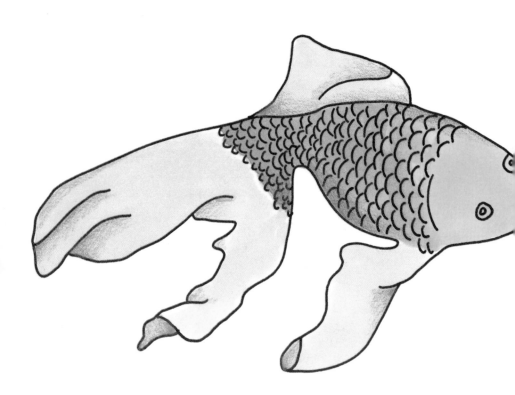

There are fish with scales...

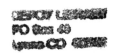

mollusks with shells…

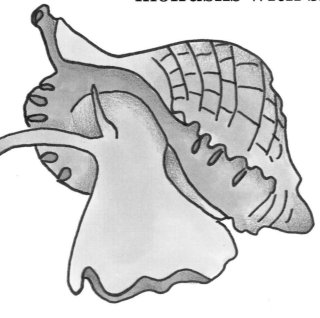

and mammals with smooth skin.

And there are animals that look like plants.

Corals…

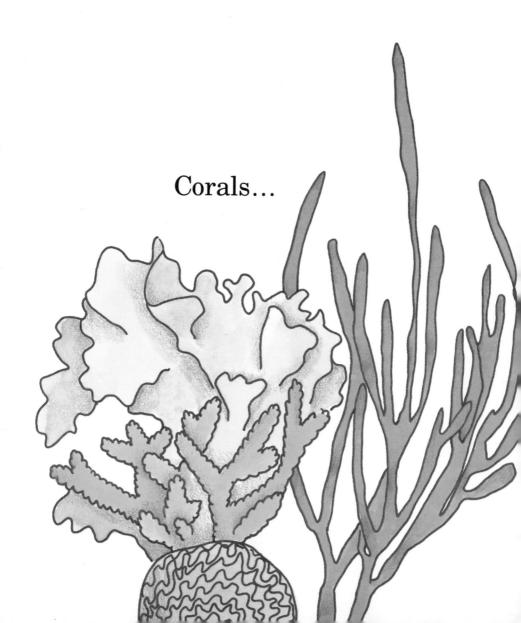

anemones...

and sponges.

A coral reef is a good place
to find some of everything
that is under the sea.

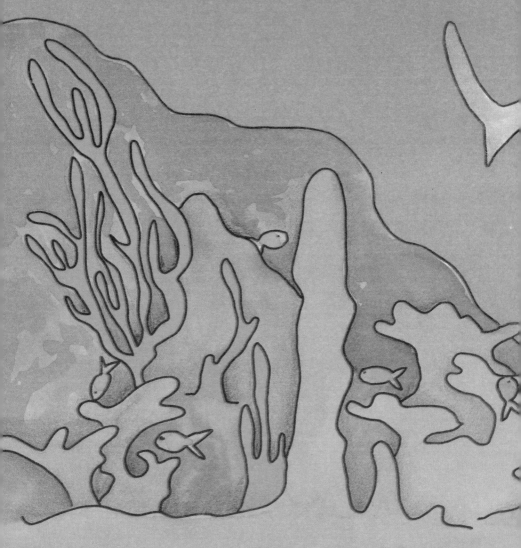

Small fish eat the algae that grows
around the reef. They hide from the
larger fish that feed on them.

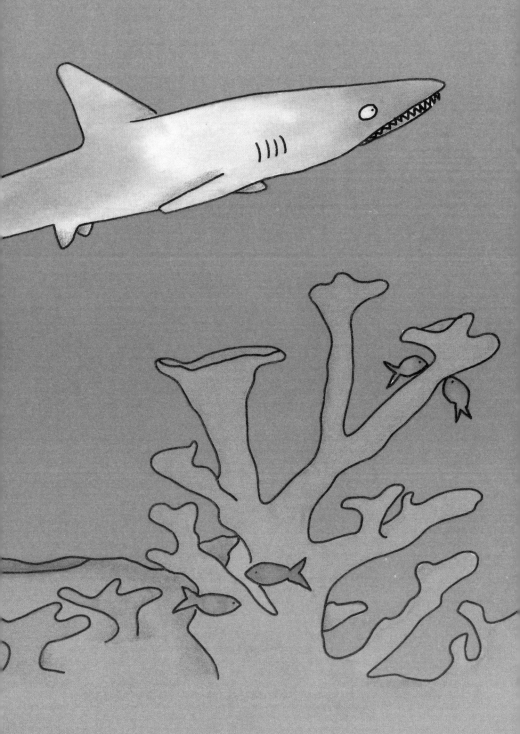

How many small fish can you find?

An octopus likes the dark holes
in the reefs.

So do eels and lobsters.
Can you find them?

A lucky snorkler might find some of these beautiful reef fish.

rock beauty

french angel

queen angel

rainbow parrot fish

cowfish

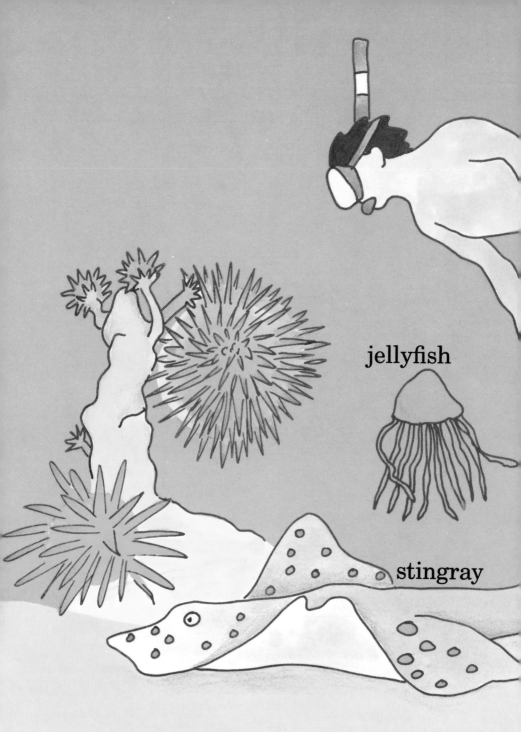

jellyfish

stingray

And a smart diver will know
to watch out for these fish.
They sting!

Remember the snorkler's motto:
Take only photos; leave only bubbles.

A good snorkler does not leave any litter.

Now it's time to swim to shore.

Others wait for scraps to float
out to them.

Now it's fish-feeding time!
Fish will eat almost anything.

Some fish come right up to a
snorkler to get food.

It's okay to pick up an empty shell and put it in a bag to take home.

But if you take a live shell from the water, the animal who lives inside will die.

What's this?
An empty shell.

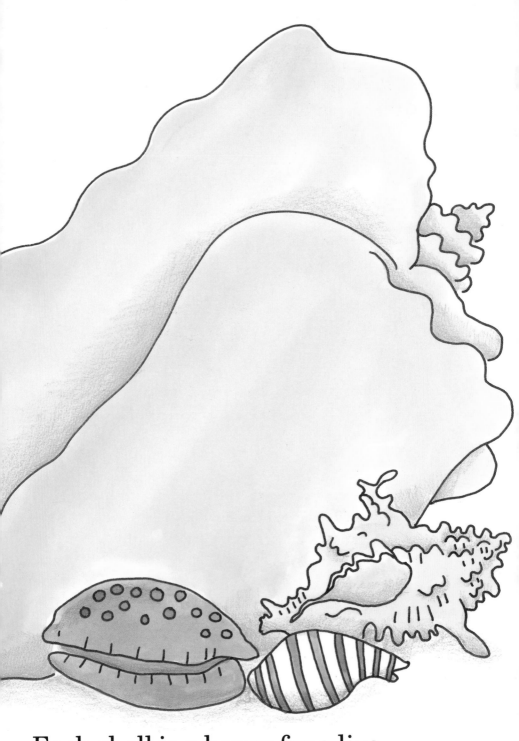

Each shell is a house for a live
animal—a different kind of mollusk.

You can find lots of shells
on a coral reef.

Big and little shells...

rough and smooth shells...

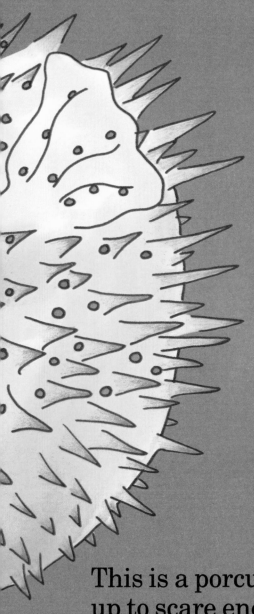

This is a porcupine fish—all puffed up to scare enemies who might want to eat him.

Here's a fish who looks scary,
but who's not really dangerous.

scorpion fish

Stings from these animals hurt.
But they are not very common.